DU MÊME AUTEUR

Aux Éditions Gallimard

Romans

LA LÉZARDE. Prix Théophraste Renaudot 1958.

LE QUATRIÈME SIÈCLE («L'Imaginaire», *n° 233*). Prix Charles Veillon 1965.

MALEMORT.

LA CASE DU COMMANDEUR.

MAHAGONY. Prix Putterbaugh 1989.

TOUT-MONDE (repris dans «Folio», *n° 2744*).

SARTORIUS. Le roman des Batoutos.

ORMEROD.

Poésie

POÈMES COMPLETS : Le Sang rivé — Un Champ d'îles — La Terre inquiète — Les Indes — Le Sel noir — Boises — Pays rêvé, pays réel — Fastes — Les Grands Chaos.

LE SEL NOIR — LE SANG RIVÉ — BOISES, *préface de Jacques Berque* («Poésie/Gallimard»).

PAYS RÊVÉ, PAYS RÉEL — FASTES — LES GRANDS CHAOS («Poésie/Gallimard»). Grand Prix de poésie du Mont-Saint-Michel 2000.

Essais

SOLEIL DE LA CONSCIENCE. Poétique I.

L'INTENTION POÉTIQUE. Poétique II.

LE DISCOURS ANTILLAIS («Folio essais», *n° 313*).

POÉTIQUE DE LA RELATION. Poétique III. Prix Roger Caillois 1999.

TRAITÉ DU TOUT-MONDE. Poétique IV.

INTRODUCTION À UNE POÉTIQUE DU DIVERS. Prix des Études Littéraires de Montréal 1995.

FAULKNER, MISSISSIPPI («Folio essais», *n° 326*).

LA COHÉE DU LAMENTIN. Poétique V.

Suite des œuvres d'Édouard Glissant en fin de volume

LA CASE
DU COMMANDEUR

ÉDOUARD GLISSANT

LA CASE DU COMMANDEUR

roman

GALLIMARD

Cet ouvrage a été publié pour la première fois
aux Éditions du Seuil en 1981.

Il y a toujours dans le monde quelque chose que tu connais et quelque chose que tu ne connais pas.

Pythagore Celat

Parce que la parole a son histoire qu'il faut fouiller longtemps comme un plant d'igname loin au fond de la terre.

Papa Longoué

À l'intention du lecteur méticuleux, on trouve en fin de volume un glossaire assez succinct pour ne pas être rebutant.

(*Du* Quotidien des Antilles,
en date du 4 septembre 1978.)

DELTA

HILL/TREVOR

REBOARDING PASS
SKY PRIORITY
3 006 2359756673 6
HCTIE8

TLWP47US

	DATE	CLASS	ORIGIN	DEPARTS	SEAT
DL131	06JAN	T	ATLANTA	455P	30D
OPERATED BY		COACH	DESTINATION	BRD TIME	ZONE 1
DELTA AIR LINES INC			PORTLAND	415P	

DEPARTURE GATE - SEE AIRPORT MONITORS

THRU PASSENGER/DOCS-OK

BAGS 01

REBOARDING PASS
SKY PRIORITY
HILL/TREVOR

SEAT 30D
ZONE 1

FLIGHT DL131
DATE 06JAN
ORIGIN ATLANTA
DESTINATION PORTLAND
OPERATED BY DELTA AIR LINES INC

BAGS
01

0419-81333
REV. 5/07
18513

« ... *L'enquête a établi que cette personne, après les malheurs qui l'avaient frappée, s'était de plus en plus isolée de son entourage. Les voisins nous ont confirmé que sa conduite depuis quelque temps effrayait ceux qui étaient forcés de l'approcher. M. C..., un aimable commerçant local, nous en a fait une description frappante.* " Elle roulait les yeux et brusquement elle fixait votre figure ou vos mains, vous ne saviez pas où vous mettre. Quand on lui adressait la parole, elle bougeait la bouche en même temps que vous, comme si elle lisait sur vos lèvres, et d'un seul coup elle souriait en disant quelque chose que personne ne comprenait. Toujours la même chose. Je crois que c'était Rodono ou à peu près. Elle répétait Rodono, ou peut-être Dorono. Elle demandait : " Et toi, où es-tu à la fin ? " Oui, c'est à peu près ça. Et elle ne bougeait plus. Nous avons alerté les autorités, mais c'est toujours la même chose, on nous répondait qu'il fallait une raison légale pour intervenir. On attend toujours la dernière minute pour agir. Quand le malheur est arrivé, il est trop tard. Véritablement les enfants avaient peur de passer devant cette maison. Croyez-vous que c'est normal, en plein vingtième siècle ? Je ne dis pas que cette personne n'a pas d'excuses, elle est malade c'est évident, tout le monde sait ce qui lui est arrivé. Tout le monde était d'accord pour l'aider.

Nous avons fait tout ce qui était humainement possible. Mais enfin elle propageait des idées qui n'étaient pas du goût de la majorité des gens [1]. La société doit pouvoir se protéger. " *L'amabilité bien connue de M. C..., qui n'hésite pas à venir en aide aux indigents du quartier, nous interdit de mettre en doute son témoignage. Une autre voisine, Mme P. L..., mère de cinq enfants, nous a confié* : " Elle restait accroupie devant sa porte, on aurait dit un défunt exposé. Vraiment ça ne pouvait pas durer. Ici, c'est une zone résidentielle, on devrait savoir à qui on a affaire. Mais je vous assure, je plains beaucoup cette malheureuse, une personne si intelligente paraît-il. " *Il n'y a rien à ajouter, les mots sont impuissants devant la fatalité, et le lecteur comprendra que nous ne nous étendions pas plus longtemps sur un cas aussi douloureux. Nous saisissons cette occasion d'annoncer, pour un de nos prochains numéros, une information détaillée sur...* »

1. Il ne nous appartient pas, en des circonstances si tragiques, de commenter ces « idées qui n'étaient pas du goût de la majorité ». Mais chacun peut se demander, quelle que soit par ailleurs son opinion politique, s'il ne s'agit pas dans ce cas, hélas, de folie pure et simple, qui frappe aveuglément *(NDLR)*.

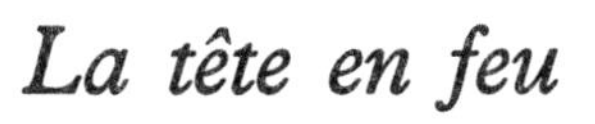

La tête en feu

Trace du temps d'avant

Pythagore Celat claironnait tout un bruit à propos de « nous », sans qu'un quelconque devine ce que cela voulait dire. *Nous* qui ne devions peut-être jamais jamais former, final de compte, ce corps unique par quoi nous commencerions d'entrer dans notre empan de terre ou dans la mer violette alentour (aujourd'hui défunte d'oiseaux, criblée d'une mitraille de goudron) ou dans ces prolongements qui pour nous trament l'au-loin du monde ; qui avions de si folles manières de paraître disséminés ; qui roulions nos moi l'un contre l'autre sans jamais en venir à entabler dans cette ceinture d'îles (ne disons pas dans cette-ci seulement dont la Saint-Martin avait coché le jour de *découverte* – en Martinique –, comme si avant ce jour n'avait flaqué à sa place de terre qu'un peu de cette mer Caraïbe dont nous ne demandons jamais le pourquoi du nom) ne disons pas même une ombre, comme d'une brousse qui aurait découpé dans l'air l'absence et la nuit où elle dérive, – nous éprouvions pourtant que de ce nous le tas déborderait, qu'une énergie sans fond le limerait, que les moi se noueraient comme des cordes, aussi mal amarrées que les dernières cannes de fin de jour, quand le soleil tombe dans l'exténuement du corps, mais aussi raides et têtues que l'herbe-à-ver quand elle a passé par ta bouche. Et pourtant chaque moi, devenant je ou il sur l'humide éclat du jour, s'emprisonnait dans un opaque mal assuré, comme d'une île qui se serait enfoncée en des lointains évasifs. Parce que nous ne commençons jamais de chanter ni de sculpter, sur pierre ni bois, nos récits. Nous ne traçons jamais, dans ce pays que nous ne nommions pas l'Afrique, à même la poussière comme évaporée au tamis du village, ce réduit de notre naissance d'antan. Nous n'évoquons pas, en bordure de savane, avec les troupeaux qui déboulent de la tête (et le lourd de la pluie), cette passion de trahir qui consuma *un moi tari* jusqu'à le précipiter au-devant de la colonne de captifs, et il resta foudroyé à l'entrée des cases, ne profitant pas même de la capture de *l'autre moi* – que celui-ci soit emmené au loin –, que l'absence de moi me renferme en moi ; ni non plus le retour d'événement par quoi le moi tant traître se retrouva souqué au même banc de tempête que le moi trahi ; non. Nous ne comprenons plus ces nœuds. Voyons-nous qu'entre-temps le monde a couru ses courses, noué ses tripes d'îles et ses méplats de continents, charrié ses fleuves d'éventrés, bâti ses pyramides, troué le fond d'espace où se préservait l'inconnu ? Nous ne le voyons pas. La vie passée, les arbres tombés, les amours bannies ne nous apparaissent pas dans la clarté sculptée des choses connaissables. Quelle nuit et quelle lumière se sont-elles nouées pour nous cacher le sens et nous donner l'ardeur de ce temps ? Sans situer ni décrire, ni dessiner la grâce d'une épaule, la courbure d'une arme, le pli d'un terrain, sans nommer quel fleuve, ni égrener quel sable, ni désigner quelle case (comment le pourrions-nous, après tant de mers et d'effrois, tant de bleu nuit des fonds de mer où nous avons coulé, les boulets enfoncés dans nos ventres comme des soleils), nous revivons dans un remuement indistinct ces douleurs et cocasseries qui nous acassèrent dans notre transbord. *Nous* les revivons. Mais si un seul campe dans sa passion et confusément crie qu'il entrevoit cet antan, qu'il réentend ce gémi, qu'il rit de son hébétude et va damer la terre autour pour se prouver qu'elle est à lui, nous n'accompagnons pas son geste ni ne déchiffrons ce cri. Nous feignons qu'il se moque, ou que la folie du cyclone a détourné sur lui son œil fixe, ou que le soleil a pointé dans sa tête. À la croisée cet homme, frappé d'un songe de vent, se souvient. Il saute sur un pied, il casse la tête en arrière, il crie : *Odono ! Odono !* Les voitures klaxonnent, les passants rient sans s'arrêter. L'homme, sorcier de midi, entrevoit par pans. Ce qui remonte non pas à sa mémoire mais au long de son corps disloqué, ce qui le dévore comme fourmis-manioc (échos insulaires des fourmis-manian), ce n'est certes pas le clair dessin du passé, ni les lieux ni les dates ni les filiations en ordre sec et visible tel un pointage de sacs de guano en file. Comment imaginer, à la croisée de cette autoroute, entre les panneaux qui marquent *Trinité 17 km* et *Gros-Morne 9 km*, si près de la mangle d'où s'élève la splendeur évidée de l'Abattoir départemental, avec ses hachoirs mécaniques et ses treuils à viande bleue, comment soupçonner que le mot Odono (à peine un mot : un son) pût avoir un sens, cacher quelque allusion à un rare événement ? Comment pister, sur tant de houles d'océan, la trace de quelque chose, tas hurlant de viandes à vif, qui se fût appelé Odono ? Comment repérer, trouver, où, par quel calcul et sur quel instrument de mesure ? Pourrions-nous tranquilles nous asseoir au pied d'une Croix-Mission et commenter : « Les habitants de ce pays furent transportés d'Afrique dans ce qu'on appelait le Nouveau Monde sur des bateaux négriers où ils mouraient en tas. On n'ose estimer à près de cinquante millions le nombre d'hommes de femmes et d'enfants qui furent ainsi arrachés à la Matrice et coulèrent au fond de l'Océan ou furent échoués comme écume au long des côtes américaines. Le sud-ouest de l'actuelle Guinée pourrait avoir donné le principal de notre peuple. » Ce calme énoncé supposerait que toutes choses depuis ce jour du transbord se sont émues du même puissant et paisible souffle où la mémoire de tous se serait renforcée ; que les années se suivirent et s'entassèrent tranquilles dans le morne à secrets où chaque peuple garde la trace de sa route. Mais l'amas de nuit pèse et nous couvre. Nous disons que c'est folie. Odono est un cri de malfini tragique dans ta tête. La lampée de sons où un zombi a bu ton âme. Or cet homme à la croisée s'entête. Il voit par saccades ; ça fourmille à sa gorge. Ni ouvrage tranquille ni enquête minutieuse, mais un débouler de feu, le linge de piments à même la peau. Avec par moments les odeurs rêches de savane évanouies dans le pays d'avant et, pour brouiller tout souvenir, le relent lourd et vaporé des tubéreuses, dont l'enfance du pays-ci avait été baignée. L'homme entrevoit pourtant. Il est seul dans la stupeur de ses yeux. Et nous qui ne le comprenons pas, nous qui nous moquons, voilà qu'il nous emporte avec lui, autant de moi chahutés sur les mornes et les volcans, sur les souches enracinées dans l'océan. Voilà que le monde avance, si déformé dans nos songes, si vrai dans nos visions. Il bouleverse en nous le boucan de jours, d'années, de nuits sans cri où nous avons chaviré. Nous débordons de tant de moi solitaires en un seul nous taraudé de savoirs flous. Ainsi commençons-nous, par tant d'énergies gaspillées, à épeler ce mot dont nous ne comprenons pas le sens. À mélanger la terre sèche et la nuit humide folle de cris. Et si l'homme une fois de plus crie *Odono Odono,* ce n'est pas qu'à ce moment il revient à l'entrée du village, dans le pays d'Afrique, où le traître conduisit les convoyeurs de chair ; non. L'homme n'est pas descendu si loin dans l'abîme d'océan. Il réentend seulement la lourde portée de sons qui convoyait naguère sur les cannes et les cases l'annonce de la mort – *et pour cette fois la naissance d'un enfant* –, par quoi nous répandions sur le pays-ci l'espace violé du pays d'avant. Et donc, cet appel bourré de mort d'âme qu'il poussa sur la chaleur et le sec de midi (au temps qu'il se souvenait encore s'appeler Pythagore Celat) quand Cinna Chimène enfanta, presque à même la terre vernissée de la case, et avec l'aide rugueuse et sûre d'Éphraïse, cette descendante que depuis si longtemps elle avait nommée Marie et que, par une grâce d'imagination et un bon plaisir de tous où n'entraient ni explication ni logique, on appela plus tard Mycéa. Dans la tête de l'homme, debout à la croisée de l'autoroute et de l'entrée du Lamentin, c'est ce souvenir de Marie Celat qui flambe comme une apparition, au moment même où Marie Celat (qui avait dû s'il se trouve son nom de Mycéa aussi bien à l'habitude que nous avions prise de crier « Mi Celat ! » chaque fois qu'elle surgissait au plein mitan d'une réunion) s'efforce non loin de cette croisée de rameuter elle aussi la troupe lézardée de ses souvenirs et de s'en aider pour supporter la vie. Possiblement, avait dit Pythagore, que je voudrais un garçon. Ç'avait été une fille. Et Pythagore, qui éprouvait que toutes les feuilles de son corps branchaient sur le doux arbre qu'était Cinna Chimène, s'était vu, comme les autres hommes du morne l'auraient ressenti à sa place, pour ainsi dire démuni par l'arrivée de cette fille, première-née. Tout de même, pensa-t-il, et à tout le moins qu'elle élèvera les autres qui viendront par après. Mais Pythagore ne connaissait pas Marie Celat. Et même pas à cette époque où, ababa d'avoir mangé sa rage, il restait cassé pendant des heures de nuit à effiler le tranchant de son coutelas : parce que la petite fille de quatre ans l'avait regardé droit dans les yeux (ce qu'aucun enfant dans le pays n'eût osé face à un adulte) pendant un après-midi entier, l'un et l'autre accroupis à la limite des gros abricots, jusqu'à ce qu'il secoue doucement la tête et lui crie à voix rentrée qu'il était plus fort qu'elle. Et Cinna Chimène, pour qui les hommes des alentours faisaient volontiers un détour par le jardin de Pythagore, et qui elle aussi s'ébahissait de la raideur de l'enfant, doucement riait dans le noir de la case et pour la énième fois demandait (mais du ton chantant dont elle se fût fait à elle-même une confidence) si ce fil de coutelas lui donnerait la réponse. Si Marie Celat était bien, jalousant, le produit de ses œuvres et le fruit de son enfantement ? Car Cinna Chimène était pour lors une Négresse matador. Elle avait sa manière de pencher le corps pour amarrer les cannes, la hanche de côté comme pour amorcer une polka, le chapeau bakoua attaché sous le menton par une frange de cordes qui lui couvraient la poitrine d'une plaque ajourée. Elle lançait droit la jambe bardée de vieux linges, comme pour défier une bête-longue qui aurait échappé aux coupeurs. Mais elle n'eut jamais à affronter un de ces serpents fer-de-lance ; ces créatures savaient que cette Négresse-là ne leur profiterait pas et qu'il valait mieux devant elle filer en douce ou se perdre dans un coin de sillon. Elle comprenait que son port provocant faisait le tourment inavoué de Pythagore et qu'il se demandait si l'enfant n'avait pas hérité l'irréductible hauteur de la mère à seule fin de le torturer. Pythagore ne trouvait vraiment pas ce qui tournait en manège dans la tête de cette fille dont les cheveux refusaient de pousser, pointant dans tous les sens comme la peau d'un corossol. Il imaginait qu'il la dompterait quand ses autres descendants seraient venus à terme. Il posait le coutelas et venait se coucher près de Cinna Chimène, criant (mais il avait conscience qu'il ne prononçait pas un seul mot) qu'il leur faudrait encore au moins deux garçons et une *vraie* fille. Pythagore ne connaissait pas Mycéa. Et même pas quand, sa houe sur l'épaule, revenant de la tâche à une heure passé midi, soudain il découvrait la forme découpée de l'apparition plantée immobile au haut d'un morne, comme pour défier les boucans du soleil. Pythagore entendait alors sur les cannes en flèches le lourd cri de lambi qu'il avait fait résonner le jour de la naissance de sa fille et qu'il avait poussé jusqu'au soleil comme pour annoncer la mort de son espérance. (Aucun des habitants d'en bas n'avait deviné pourquoi l'homme de Cinna Chimène avait célébré cette naissance de la manière même dont une mort était cornée.) Alors il semblait qu'un fil de feu courait de la petite statue plantée là-haut en rebord de crête à la lourde machine à défricher qui s'en revenait par les traces entre les cannes. L'air saturé brillait sur les roches blanchies et sur les arêtes de boue rouge jaunies en surface et durcies par le soleil, entre lesquelles Pythagore marchait. À gauche un pipiri titillait dans le bois tamisé de lianes son tintement d'appels aigus, brefs, invariés. À la limite où les cannes n'avaient pas encore gagné sur la broussaille, des claquements assourdis marquaient l'ouvrage d'un four à charbon, et on les entendait au moment tac au tac où l'odeur vous enveloppait comme un vrai nuage. La chaleur était fixe, elle forgeait sa place à chaque feuille, au brin d'air égaré, à tout bout de terre. Pythagore nageait immobile, cloué à la terre, seulement relié par un invincible tissu de chaleur à l'empierrée de huit ans elle aussi ensouchée dans sa portée d'herbe argentée, qui le dominait encore. Un mot revenait frapper dans sa poitrine, il murmurait : *Odono Odono* en longeant l'arrondi du morne et en faisant semblant de ne pas voir l'enfant qui ne détournait pas la tête ni ne baissait les yeux vers lui. Ses courts cheveux rêches brûlant dans le soleil. Peut-être, pensait Pythagore, que tout *ceci* a été créé (il voulait dire : les savanes pelées, les ravines de boue, les nasses d'écrevisses gris transparent, les bassins d'eau, la masse bleue des bois, l'odeur de fruit-à-pain brûlé, les sous de cuivre qui tintaient après la paie dans sa bourse de toile écrue, et jusqu'aux cris d'un cochon qui dérivaient sur l'espace – et il voulait dire bien plus encore, mais sa pensée chavirée ne pouvait cerner tant à la fois) pour en arriver à *cela* qui est comme l'éternité que le Seigneur a fabriquée de jour et de nuit et continue à forger sans se fatiguer (entendant en raccourci que le *ceci* avait commencé des temps et des temps auparavant dans un pays sans nom dont il ne restait pièce et que le *cela* résumait bien son dommage actuel avec une petite Négresse de rien du tout née de son œuvre et qui lui échappait si totalement). Et Pythagore butait partout sur l'enfant qui partout lui rappelait comme un défi ou un sarcasme l'étincelant aller-venir de Cinna Chimène. Il se renfonçait dans une ombre parcourue de sons rauques dont il attendait peut-être une sorte d'engourdissement ; Cinna Chimène le voyait disparaître dans son lointain, elle affichait sans pouvoir s'en empêcher une aisance et un détachement qui l'avaient désemplie depuis longtemps. La nuit grandissait sur eux, en même temps que la fille poussait comme un figuier-maudit, avec des branches qui devenaient racines. Pythagore remplissait son coui d'eau de source, puis le bougeait tout doux pour y créer à mesure des tempêtes réelles qu'il interrogeait longuement. Il découvrait dans son souvenir récent qu'au même jour de la naissance de l'enfant le volcan (présence du Nord, énergie des Hauts : invisible mais jamais oublié) avait poussé un de ses grands coups de roches et de cendres. Le soleil mélangeait dans sa tête l'eau de source et la cendre de volcan. Le souvenir récent ouvrait alors sur d'autres champs de feu dans la mémoire. Mais lesquels ? – toute son hébétude grandissait de ne pouvoir le préciser. « Sacrés Nègres de Guinée, criait-il aux prétendants de Cinna Chimène (mais il entendait bien que la clameur était dans sa tête, il ne faisait que passer raide comme s'il n'avait rien vu) on aurait dit que c'est vous le béké à cheval au galop dans le carré d'autrui Retournez dans vos savanes Bandes de nègres maudits Excréments de Belzébuth Bondas de macaques ravagés par les poux on aurait dit vous avez descendu depuis vos carnavals de démons jusqu'à 1928 pour martyrer Pythagore Je vois vos bagages dans tous les coins de chemins mais je connais la ficelle pour désamarrer Pythagore peut marcher dans le tison ardent avec les doigts croisés sur la tête comme le fardeau de Dieu. » Ainsi enfonçait-il dans son tas d'imprécations seulement coupé de ces sortes de visions fulgurantes : quand au détour d'une trace il apercevait sur sa tête la petite silhouette rêche qu'il refusait de reconnaître et qui ne lui faisait pas la grâce de sembler le remarquer. Il récapitulait que dès le jour de la naissance (alors donc que le bruit avait couru qu'une éruption du volcan allait s'abattre à nouveau sur la terre là-haut et qu'en ce matin, selon ce que racontaient les fuyants, des bombes de roches et des cendres avaient dévalé la rivière Roxelane comme un prélude brûlant à cet accouchement qu'il imaginait bien avoir été une éruption incontrôlable) il avait surtout craint de trouver dans la fille ce qui sans répit le pétrifiait devant la mère : une manière de cambrer le corps et de porter haut le front, de marcher sans paraître bouger, de parler sans avoir l'air de s'adresser à qui que ce soit. Que c'était surtout cette crainte qui l'avait poussé à corner du lambi au jour de cette naissance, tout de même que si sa progéniture avait été mort-née. Et que le dépit de n'avoir pas eu un garçon (pour le protéger) l'avait peut-être moins tenaillé que la peur d'affronter une autre femme de la sorte de Cinna Chimène chaque jour et chaque année qui allaient venir, sans pouvoir arrêter ni les jours ni les ans. Le plus sûr du tourment de Pythagore venait de ce qu'il voyait bien que Cinna Chimène ne regardait personne et disons ne voyait à la lettre personne en dehors de lui, et qu'il savait bien qu'il ne pourrait tout simplement pas supporter l'idée que cette Négresse haut balancée pût détourner de lui son regard – mais que tout ce savoir était plus faible et plus nu que la rosée sur les feuilles, déjà dévorée par le soleil pointant. À quoi servait d'être certain de leurs attaches mutuelles s'il ne pouvait dominer ce tremblement – cette fixité, en lui ? C'est à cette époque (où les apparitions de Mycéa dans les hauts de sa route lui devenaient insupportables et où il récriminait que cette école où Cinna Chimène avait inscrit l'enfant semblait n'ouvrir que pour le temps de laver l'air dans la salle) qu'il se mit à s'enquérir de quelque chose qui ne pouvait qu'être au-delà de la compréhension des habitants. Cela commença par des questions en rafale qu'il posait aux gens de rencontre sur les traces, dans les ravines, et qui éloignèrent de son chemin les plus intrépides causeurs ; et il finit par s'installer chaque soir devant la boutique de l'habitation à une table où la femme du commandeur servait le rhum autour d'un lumignon, jusque vers les neuf heures de nuit. Il s'asseyait et déclamait en manière de débutement la parole que chacun des assistants se répétait à voix basse depuis une heure ou deux et que certains, protégés par la nuit, épelaient des lèvres ou rythmaient d'un balancement des mains, au même tempo que lui : « Quelqu'un peut-il me réciter ce qu'on connaît par ici à propos de la Guinée ou du Congo ? » Parfois des bêtes à feu dansaient devant sa figure et il semblait qu'elles éclairaient faiblement les mots et qu'elles portaient mérite à Pythagore lui-même. Le silence noyait la nuit, les gens, les bêtes et les paroles. Aucun n'osait bouger. Le récitant Pythagore doucement priait. « Je vois la canne, disait-il, elle est plantée dans un marigot toujours labouré les macaques sont descendant des grands fromagers ils sont arrachant la canne pour la manger Je vois la rivière plus en surface que deux cent dix plantations bout à bout les femmes sont lavant le linge dans la rivière frappant la toile bleue sur la tête des crocodiles (un frémissement – comme une plainte des corps menacés – taillait l'assistance, à l'évoquer de cet animal inconnu dont on disait qu'un cirque de passage avait laissé échapper un spécimen qui s'était réfugié dans un bras de la Lézarde où, par un miracle naturel (l'animal étant déchiré du besoin de nuire), il s'était reproduit lui-même – et peut-être aussi en s'accouplant avec un iguane –, jusqu'à engendrer une population nocturne de caïmans à crêtes qui emportaient les enfants et dévastaient les troupeaux). Je vois l'ennemi la bête-longue elle enroule la ville dans son anneau elle ferme la porte du Sud avec sa queue et par la porte du Nord elle enfourne dans sa gueule toute la population criante un par un (alors une vraie menace pesait dans la nuit sur les écoutants de Pythagore car pour cette fois il s'agissait d'une bête qu'ils connaissaient bien, que la plupart d'entre eux avaient affrontée, qu'ils refusaient certes de nommer autrement que par les mots *l'ennemi, la bête-longue,* mais dont ils n'avaient peur – alors vraiment peur – que sous les ramages de la nuit) Je vois le roi de tous les Nègres il est assis sur quatre têtes coupées il parle avec le béké qui est debout devant lui il marchande avec le béké pour trois mille charrettes de cannes et dix mille plants de tabac Je vois la maison du Roi des Nègres la véranda est taillée dans du gazon bleu il y a six cents jarres pour l'eau six cents jarres pour l'huile six cents jarres pour le sucre le prie-Dieu du Roi des Nègres est en velours d'église avec des jabots de dentelle Je vois la femme Un du Roi des Nègres puis la femme Deux et ainsi de suite jusqu'à la femme Trois-cent-soixante-six qui est la femme du Jour de l'An Je vois la cuisine du Roi des Nègres il y a un mortier en marbre pour piler le sucre un pour la farine un pour le piment la femme Soixante-onze prépare la morue aux piments ses tétés balancent plus vite qu'un encensoir Le roi des Nègres me dit Pythagore que voulez-vous je réponds Roi des Nègres peux-tu me rapporter ce que tu connais à propos de la Guinée du Congo Le roi répond Pythagore ami c'est ici le royaume du Congo de Guinée réunis alors je dis Roi Pythagore est donc au bout de sa route La femme Soixante-onze me dit oui oui entrez et mangez. » « Entrez et mangez », reprenait une voix dans la nuit devant la maison du commandeur, voix d'homme ou de femme ou même parfois d'enfant. Le silence tombait sur eux, ils essayaient d'imaginer ce que Pythagore s'obstinait ainsi à connaître (et pourquoi) ; ne fût-ce que pour le plaisir d'entrer avec lui dans la maison du roi et de partager le repas. Oui nous ne comprenons pas vraiment ces nœuds de silence et de nuit mêlés. Nous restons là béants accroupis ou debout appuyés contre la barricade du clos des mulets ou assis la tête dans la main gauche ou tout au long couchés sur la rambarde de terre à l'entrée du parc à taureaux, nous regardons vers Pythagore nous essayons de le voir ou au moins d'entendre en nous le bruit de sa parole pour deviner quel pays au loin il s'abîme à découvrir ou à retrouver. Mais on ne partage pas tout à fait ce silence. Car s'il est vrai que Pythagore nous entraînait à ces cérémonies que nous aimions tant, qu'il nous pétrifiait sous sa dictée de mots, pourtant nous fallait-il reconnaître que nous préférions le goût d'excitation calme qu'il nous faisait entrer dans le corps à toutes les fixités de son angoisse, qui nous laissaient mobiles et disponibles. La femme du commandeur criait que Cinna Chimène connaissait seule la réponse aux questions de Pythagore. C'est que nous ne voulons pas connaître la réponse. Nous voulons nous émerveiller ou nous étourdir de la question. De tant de questions éparpillées à partir d'une seule, plus qu'un vol de fourmis au travers d'un sacré coup de baramine que tu plantes dans le nid comme un cataclysme du premier jour. Et peut-être que nous portons en nous ce cataclysme du premier jour et que nous crions sans savoir : *Odono ! Odono !* – jusqu'à ce qu'un seul (ou tous portés en pointe dans la cervelle dilatée d'un seul) arrête de crier, se concentre sur son corps et commence d'épeler la lettre de ce premier jour et de son cri ravagé. Alors viennent ceux qui veulent tout compter sur leurs doigts, qui n'acceptent pas cet épellement et qui même concluent que le mot déchiffré là ne peut rien avoir à faire avec leur tourment (si même ils savent ou devinent qu'ils sont debout dans un tourment) ; et donc, ceux qui fuient loin au-devant de la parole obscure, criant, pour mieux se cacher d'eux-mêmes, que tout ceci est à ne rien comprendre et que les malheureux (ils veulent dire tout aussi bien les tourmentés) chantent des mots plus clairs. Sans compter ceux qui nous arrivent d'ailleurs et qui nous partagent illico en rangs qu'ils évaluent (ainsi le monde avance parmi nous, l'innombrable que nous imaginons sans l'imaginer, nous trompant sans nous tromper) ; et ils distinguent les colonnes de moi à leur commandement d'élus, tout de même qu'ils nous triaient jadis selon le dru de nos dents ou le grain de notre peau, décrétant là et notant les moi méritants, les moi déchus, les moi authentiques, les moi frelatés ; décernant les attestations au gré de leur fantaisie morose et insolente, avant de disparaître dans leur ailleurs (probablement dévoyés vers un autre rivage à tourments où ils recommenceront leur décompte amer : pareillement qu'un mantou soudain déboulait d'un trou dans la mangle du Lamentin à portée de ta main et, avant que tu aies dans ta cervelle frayé l'amorce de réaction qui t'eût permis de lancer le bras, comme une flèche de poils violets raides sur l'écaille jaune sale disparaissait dans un autre trou, te laissant chaviré de ce sillage dont il semblait qu'il n'avait eu d'autre rôle que de te persuader de ta lenteur irréparable). Aucun d'eux – les arrivants ni les demeurants – n'a balancé son corps dans le son de la voix de Pythagore, comme nous bougeant les lèvres pour dire en même temps que lui, mais incapables pourtant (nous) de savoir ce que simplement signifiait la question qu'il avait envoyée à la ronde ou de repérer au plus large cette ville qu'il avait entourée du serpent originel. Et c'est ce bercement de la voix qui nous constitua d'abord, comme si nous devinions que Pythagore non plus ne voyait pas ce qui avait engendré le cataclysme primordial d'où nous étions issus, ni même s'il y en avait eu un, et qu'il ne faisait que partager avec nous une ignorance et un désir dont il avait été – on ne savait pourquoi – désigné pour porter la marque comme une brûlure sur l'épaule gauche ou la joue droite. Aucun d'eux n'a repris de la voix sous le grand pied de tamarin, chantant dans le profond de la nuit : « Entrez et mangez ! » Mais ne sont-ils pas (et y compris les incolores qui s'échinent savamment sur la trace des Arrivants, persuadés qu'ils se grandissent en science et connaissance d'être ainsi distingués par ces Autres, et qui bientôt peut-être les suivront dans leur errance) partie de nous, partageant l'ignorance et son lancinant revers (le désir) comme un linge trop juste sur des corps trop intenses ? Pythagore fouillait dans sa bourse de toile, comme si elle avait renfermé le secret, il séparait des autres un gros sou qu'il déposait sur la table de bois mal équarrie, un poids de cuivre écorné qui parfois restait là toute la nuit, parce que la femme du commandeur n'avait pas vu le geste ni entendu le bruit de cloche éteinte qu'avait fait la pièce sur le bois noirci un peu gras, ou plutôt qu'elle s'était peut-être arrangée pour ne pas voir ni entendre ; et aucun des habitants de l'endroit, non pas même les enfants fascinés d'une telle occasion, n'aurait pensé à voler le sou que cette femme récupérait le lendemain matin en rangeant ses pots en zinc, détournant les yeux vers les hauteurs en même temps qu'elle passait la main à plat sur la table et faisait glisser la pièce jusqu'au rebord où elle la cueillait pour ainsi dire : feignant ainsi qu'elle n'avait pas ramassé le sou mais l'avait trouvé là par hasard pendant qu'elle nettoyait sa table humide du serein du matin. Puis Pythagore repartait donc dans la nuit : s'enfonçait dans la nuit, dans son ignorance et dans son désir. À force de l'attendre, Cinna Chimène avait à la fin connu ce moment de la nuit où les révélations nous envahissent. Elle s'inventait des questions qu'elle ne proposait à personne mais qu'elle entassait en forme de mausolée. Puis elle dépassa ce moment de la désolation, s'installa tranquille dans le dénigrement de toutes choses autour d'elle et organisa ses questions, qui balisaient sans qu'elle s'en aperçût les interrogations débridées de Pythagore, en une somme somptueuse de reniements. « Avez-vous déjà vu, disait-elle à Pythagore qui était seul à subir son combat de mots, une race plus délabrée que la race noire ? La race mulâtre a de la chance, elle blanchit du gros orteil au bout du nez. Elle a des cheveux plus doux que poils de maïs. Avez-vous déjà vu quelqu'un qui nage dans le noir et qui porte la beauté ? » Pythagore murmurait : « Vous êtes plus belle que la rosée sur le magnolia, plus droite que le balisier dans la forêt. » Mais Cinna Chimène dénaturait son insoutenable beauté, se renfonçait dans une banalité soigneusement mise en place. Elle n'attifait plus ses hardes sur son corps et, quoiqu'elle fût de la même implacable propreté qu'elle imposait à tous et à tout dans la case, elle arrangeait autour d'elle une sorte de négligence qui marquait, mieux que des mots ou des disputes, l'écart que désormais elle habitait. Sa pose dans les champs n'avait pourtant pas changé. Toujours légère, toujours lointaine et dure comme une mangue verte. Une fille de la campagne qu'un pouvoir insoupçonné dressait parmi les cannes, les bagasses, l'herbe para et les vétivers comme une apparition d'une époque tarie, où les obscurs avaient le temps de connaître et la grâce de guérir. Dans la case, la nuit grandissait. Pythagore et Cinna Chimène, chacun renfoncé dans son ombre, confrontaient leurs bataillons de questions ; elle, calme dans son aigreur rieuse (que six autres enfantements, tous des garçons – il n'y avait pas eu de *vraie* fille – n'avaient pas peu contribué à renforcer), lui, absent, errant dans son soliloque, craint et respecté à la ronde, tourmenté par l'aînée de ses descendants. Il hasardait (et Cinna Chimène aussi) de trouver dans le livre de classe de Mycéa une réponse. Il cherchait dans le livre aux feuilles jaunes épaissies par l'usage la trace de ce pays jadis marqué d'immensité. L'immensité nous a quittés. Nous taraudons le même carré de terre qui s'offre aux eaux de deux mers. Ce pays d'avant nous démarra de nos corps, que nous n'avons pas ensouchés dans le pays-ci. Pythagore souffrait d'avoir à solliciter la science de Mycéa. Il calculait le paysage autour de lui : les portées de savanes séparées de clôtures maladroites, les vaches au piquet dans l'herbe noyée d'eau de pluie, les traces ravinées par les taureaux, les charrettes où les cannes faisaient comme des toits arrondis – et pensait bout à bout ces éléments d'un pays qu'il connaissait bien dans ses fonds et détours mais dont il n'était pas capable de concevoir l'ensemble, il les décortiquait et les réajustait pièce par pièce, puis il feuilletait le livre d'école, dans l'espoir de trouver au plat de quelque page un dessin, une carte, un profil qui lui eussent rappelé l'étrange modèle qu'il s'était fait. Persuadé que le pays d'avant, ce qu'il n'appelait pas l'Afrique mais la Guinée ou le Congo, était à l'image de ce pays-ci (car il ne pouvait concevoir que ce pays-ci fût peut-être l'image remodelée du pays d'avant) et insoucieux de savoir ou de deviner ce qu'un pays peut vous bouger dans la tête ou le ventre sans que vous ayez à en séparer les motifs un à un, il s'entêtait à son report et à son décalque et projetait sur les cartes de Bretagne ou du ballon d'Alsace son rêve touffu et en même temps simplifié, où seul flottait un permanent soleil. Cinna Chimène cherchait dans le même livre les représentations de types humains, pour mieux défendre et illustrer sa conviction que les Nègres étaient voués à la laideur et que par conséquent Pythagore était aveugle de lui trouver quelque « allusion » de beauté que ce soit. Elle scrutait longuement la moindre image, et en particulier un tableau illustré des races humaines, si clair et parlant quant à sa marotte. En regard de la figure pensive et profonde d'un Blanc s'étalait la lippe brute d'un Nègre qu'on eût dit vérolé. Cinna Chimène extasiée priait Mycéa de lui dire ce qui était écrit au-dessous des figures, mais l'enfant chaque fois la fixait droit dans les yeux sans plus bouger qu'une croix de calvaire. D'ailleurs Mycéa cachait désormais ses menues affaires de classe. Pythagore au soir la surveillait en coin, assise près d'un lumignon à l'autre bout de la case, entre la houe et le coutelas qu'il rentrait pour la nuit et le grabat de planches couvert de hardes où elle dormait. Il s'émerveillait qu'un être vivant pût rester ainsi immobile, à ce point que lorsqu'elle tournait une page du livre ou suçait le bout du crayon le geste semblait appartenir à quelqu'un d'autre qu'à la statue d'ombre qu'elle faisait, sculptée des fumerolles graisseuses du lumignon, ou plutôt surgir d'un ailleurs incompréhensible pour se greffer sur cette plante. Et quand Pythagore approchait, l'enfant arrondissait le bras pour dérober son travail au père, s'enfermant, sans même daigner lever la tête, dans un monde qui l'excluait. Il ne savait pas (et il ne savait pas que Mycéa le savait déjà : il ne connaissait vraiment pas l'enfant) que les livres n'ont cessé de mentir pour le meilleur profit de ceux qui les produisirent ; que ce pays qu'il désirait connaître il lui eût fallu le retrouver en lui-même, par-delà toute description et tout détail. Dépité, Pythagore avait attendu que le premier garçon eût en sa possession les livres qui parlent. Mais ce fut encore pire que la catastrophe du premier jour. L'un après l'autre les garçons défilèrent devant lui au fil des années, affichant le même air d'hébétude, la même désespérante constance dans la sottise béante et dense, dont il ne pouvait décider si elle était concertée ou non. Il se fâchait, les frappait à grandes volées de corde mahaut, les traînait autour de la maison sans qu'ils tentent de fuir, passant et repassant devant Cinna Chimène et Mycéa sans qu'aucune d'elles à aucun moment tentât d'intervenir. Et quand il leur clouait le livre dans la main et les sommait de lire, ils balbutiaient de telles inepties, un fatras si épouvantablement éloigné de toute chose sensée, que découragé il leur faisait signe de s'éloigner, d'aller donner des peaux de fruit-à-pain au cochon ou de l'herbe aux trois lapins dans leurs calloges. Puis tout revenait à son ordre, c'est-à-dire le silence, les monologues, les absences, ponctués du travail de fourchage et de repiquage et de sarclage et de taille et de ramassage et d'amarrage et de charroyage dans les cannes du béké d'en bas. C'est vers cette époque – déjà 1937, les fêtes du Tricentenaire du rattachement à la France avaient agité deux ans plus tôt les citadins, et Pythagore bougonnait encore : « Seigneur la Vierge, tricentenaire de ki sa sa yé sa ? » – que Cinna Chimène, par une sorte de raffinement sur les déguisements dont elle accablait son corps (elle avait pris de l'embonpoint et laissait volontiers sa poitrine ouverte sous une chemise sans bouton) apprit à fumer les petites pipes de terre rouge ou blanche que les vieilles Négresses se plaisaient tant à tirer entre leurs lèvres sans dents, assises sur les perrons des maisons ou aux abords des marchés ou aux entrées sinistres des asiles de vieillards. Par une rare connaissance de la chose elle ne se laissa jamais aller à suçoter sans mesure son tabac mais affecta au contraire une telle préciosité de gestes dans le maniement des longs et fragiles tubes d'argile qu'il ne pouvait qu'en paraître plus désolant de voir cette femme de santé se vieillir ainsi. La science resta donc dans les livres, le Congo et la Guinée inexplorés, la race des Nègres au bas de l'échelle du Beau. Pythagore, qui avait renoncé aux livres, découvrit alors une autre manière de mener son galop. Il avait pris le yac pour aller en ville (ce qui lui arriva une dizaine de fois au cours de son existence) et, pendant que la gabarre barattait en décadence le bras d'eau du Lamentin, il entendit une discussion qui s'échauffait entre deux avertis, gonflés de leur savoir et qui nageaient à la surface de leurs paroles comme l'écume sur un punch au lait, ou comme deux poissons-coffre en dérive au fond ballottant d'un gommier. Pythagore n'était ni amateur de punch au lait ni pêcheur en gommier mais il comprenait bien que ces deux-là fréquentaient le Saint-Esprit. « L'Autorité a capturé le Roi des Nègres. On l'a maté dans le Vapeur pour jusqu'ici. » « Ju vous certifie qu'il était tout en robe, avec des pantoufles dans son dehors comme dans son dedans. » « Bien entendu que ce n'était pas robe mais gandoura oui gandoura et la pantoufle était babouche. » « Mon cher tenez vous m'étonnez, comme si vous ne savez guère qu'il était dans ses femmes à tant que vous ne distinguez pas le mâle de la femelle. » « C'était le droit du roi de promener par la main autant de femmes qu'il a de doigts dans les deux mains. » « On dit qu'il était plus qu'un assassin il a bu le sang des enfants couché dans un champ des morts. » « Il a voté la mort pour trente et quelque mille. » « On l'a mené par ici plus vite que la poussière du vent. » « C'est l'ennemi mon cher. » Et Pythagore à ce moment avait compris de quel inimaginable personnage il s'agissait dans ce conte. Il fut pris d'un vertige de connaissance qui se fondit au roulis du yac, car on débouchait sur la pleine mer de la Cohée du Lamentin, face au vent. L'air marin se superposait par tranches aiguës aux épais relents de la mangle et du canal jaune. Pythagore entendait avec les oreilles du vent, dans le battement des vagues montantes. Les deux importants ne devinaient pas qu'ils ancraient là plus qu'un rêve, l'échouage en pleine mer d'un pèlerinage sans nom. Ébloui du sang qui montait à ses yeux, Pythagore gardait assez de poids pour s'étonner de son manque d'esprit ; qu'il n'eût pas songé plus tôt à cette manière si simple de raviner son problème. Les jardins rapprochés ne donnent pas toujours les premiers légumes : tu pars dans la hauteur coutelasser autour d'un tamarin des Indes, tu ne vois pas ici-là-même derrière ton chaudron la banane-figue que tu peux tailler. Les deux érudits tranchaient de dates maintenant. « Ju vous dis que c'était au détour du siècle il est arrivé avec les 1900 tambour tombant. » « Non non il a tombé avec les roches du volcan 1902 c'est la même catastrophe. » « 1902 il était déjà paré pour le pays des Kabylies. » « Et comment pouvez-vous parier sur cette telle datation ? » « Ju vous certifie et voyez il est venu trois ans avant le siècle il est reparti trois ans après c'est la balance. » « La balance à Béhanzin qu'on aurait mis à Bezaudin. » Et Pythagore fut comme ébranlé d'un coup de roulis dans les reins en même temps qu'éclatait dans sa tête le Nom. Ainsi le Roi des Nègres était venu, l'année même de sa naissance. (Pythagore décida sans délai que le roi prisonnier était arrivé en 1902 ; si Marie Celat avait été annoncée par un petit débris de roches en 1928, nul ne pouvait oublier que son père avait vu le jour autant dire au travers des bombes et de la nuée ardente de l'éruption de 1902, et il fut clair pour Pythagore que le roi avait débarqué le lendemain sinon le jour même de ce cataclysme, prolongement total mais éphémère d'une autre catastrophe dont les ondes le frappaient encore.) Ainsi le Congo et la Guinée avaient échoué leurs fumées d'antan au bon mitan de la baie de Fort-Royal et avaient rangé leur bagage (les selles ouvragées, les coffres à linge, les flacons de henné, les turbans bleus et les sièges de cérémonie, le tout couronné des femmes emboulées de voiles) dans l'étroit de la pétrolette du pilote, sous le regard vigilant d'un officier de second rang qu'on avait délégué là pour mieux humilier le roi Béhanzin prisonnier. Nous voyons celui-ci descendre maladroit dans la barque, après un premier regard sur la crête vert-bleu des Trois-Îlets ; il suppute l'épaisseur de ce pays d'un autre monde où il faudra peut-être qu'il meure et soit enseveli, loin de la terre de ses ancêtres. Il nous soupèse dans ce premier regard et s'il se trouve, au geste que nous faisons pour décrocher la drisse ou démarrer la barque, au seul arrondi d'un tel geste si plein de prévenances pour l'officier autant que de négligence envers ses captifs, nous trouve-t-il oui de peu de poids ? Que peut-il penser, dans cette inouïe solitude où l'Histoire l'a relégué, dans la désolation ensoleillée de ce débarquement ? Lui dernier déporté de la Traite, après combien de nuits de veille désespérée sur l'Océan (où peut-être il a médité sur la justice qui le désigna pour représenter au long de cette route d'eau tant de rois qui jetèrent sur le même chemin d'horreur salée marinée de vomi et d'infections les géniteurs de ceux qui devaient l'accueillir sur l'autre rivage), que peut-il estimer de cette lèche de terre ? Lui qui n'était pas pour nous le roi de Dahomey, le résistant fondamental, la pierre accorée dans l'effritement, mais tout d'un seul roi de Congo et de Guinée (nous, écume à peine grattée aux lèvres de la bouche énorme qui avala son dû de Nègres – l'Amérique – pendant plus de deux cents ans), que pouvait-il voir de nous sinon la pierre éteinte de nos sourires, le ramage mort de nos gestes ? Et Pythagore, à l'autre bout de la même baie, là où l'eau verte vient buter dans le recru jaune du canal, vit son roi, décida de le suivre. Enfin il entreprendrait de connaître (non pas de connaître, mais de dépister) ce qui le tourmentait dans son travail de nuit ou dans ses veilles au soleil quand le corps s'échinait à la houe. Il ne fallait plus que suivre à la trace ce seul Arrivant que personne alentour non seulement n'avait pas eu l'audace mais disons la tentation (fugace : aussitôt refoulée) d'aller saluer au débarqué ou au moins trente ans plus tard d'honorer dans son souvenir, pour le laver de l'amer suint de mépris dont nous l'avions oint. Pythagore que la destinée ni les sentiments du captif n'intéressaient en rien et qui tentait seulement d'éclairer la part de nuit qui bougeait en lui. Il n'aurait plus besoin des livres, ni de Marie Celat sa fille ; il ouvrirait le livre tracé sur la terre par cet homme qui avait tourné dans l'espace de l'île comme un taureau terraqué dans l'enclos où on le parqua. Mais Pythagore tournait en rond lui aussi. Dès le jour de cette révélation sur l'eau de la mer, il se renferma plus encore dans son enfermement ; le temps tomba dans une battue de pluie entre Cinna Chimène et lui. Sur la dizaine de fois qu'il devait prendre ce bac, il en dépensa sept ou huit pour seulement retrouver ce roi, tenter ainsi d'arracher de son propre corps le linge de piments. Il tourna dans les salons du Palais du Gouvernement ; il dérapa dans les recoins de l'Imprimerie officielle ; il déboucha un jour dans les salles empoussiérées du bureau d'Informations. Un commis costumé de mi-blanc se faisait servir un sorbet au coco par une marchande, son verre de cristal posé sur un napperon de dentelle, une petite cuiller en argent à côté, dans le creux d'un plateau qui ressemblait plutôt à un coui de métal rétamé. La marchande tassait le sorbet dans le verre, elle lorgnait Pythagore avec le détachement du commerçant qui comprend que ne voilà pas une pratique possible. Quand elle sortit (on entendit la clochette qu'elle agita dès qu'elle eut passé la porte et qui s'éteignit aussitôt qu'elle eut pénétré dans un bureau voisin) l'homme entreprit de déguster son sorbet à petites léchées bruyantes, écoutant songeur et gourd l'histoire de Pythagore, laquelle dura (le conteur calculait son coup) autant que le sorbet. Le sorbéteur reposa son verre et resta là sans bouger ni parler. La poussière zézayait au travers des rayures de soleil tramées par les persiennes dans la demi-ombre de la pièce. Le costume un peu sali de l'homme, avec des zébrures de gris aux endroits des plis, rendait comiques par contraste l'empesage et le repassage impeccables du complet métallisé de Pythagore. L'employé semblait perdu dans des évocations surnaturelles. « Béhanzin, quel Béhanzin, pour qui nous prenez-vous, nous ne sommes pas une gazette municipale. » Pythagore serra et desserra les poings, il se gratta, il soupira. On entendit l'écho mourant de la sonnette de la marchande, très loin. Il n'y avait rien à faire. Il remonta dans sa case, laissant une fois de plus (la dernière) derrière lui ce vague émoi des gens de la ville dérangés de leur sieste ou de leur sorbet, qui s'inquiétaient de ce qu'un Nègre des champs, un coupeur de cannes, eût la prétention de faire des recherches, pourquoi pas de se déclarer archiviste ou paléographe, et à quel propos ? À propos d'un Africain prisonnier qui avait passé dans le pays quelque trente ans auparavant et avait laissé le souvenir (non, le vague relent si vite évanoui) d'un pantin en robe, encanaillé de combien de femmes qu'il avait eu l'audace d'appeler ses épouses. Les petits employés, qui s'estimaient à combien de hauteur au-dessus d'un Africain (et qui peut-être connaîtraient la bonne fortune – parce qu'ils avaient rencontré à un repas de Pentecôte le cousin du commis d'un chef de service du secrétaire général du gouverneur, qu'ils avaient eu la grâce de lui plaire et de le faire rire avec des plaisanteries du cru – d'être bientôt nommés à Dakar ou à Cotonou), se rassuraient en racontant que ce golbo ce descendu ce gros-sirop mal éclairci avait chaviré dans sa tête et qu'il tournait dans sa folie comme une guêpe. Ce qui était la blanche vérité. Pythagore était passé du côté des songes errants, qui ne repèrent pas leur paysage et ne s'ancrent dans aucune argile. C'est-à-dire qu'il perdit à jamais la possibilité (qui en vérité ne l'avait qu'effleuré) de distinguer entre le paysage du pays d'avant – que le roi prisonnier avait emporté dans ses méditations de guerrier abandonné, et les esclaves de la Traite bien avant lui dans leurs cauchemars recuits et leurs chairs déchirées : ce recommencement sans fin de terres labourées d'eaux, de bois ravinés, de villes taillées dans l'argile et le sable – l'Afrique –, cet infini qui vous portait à la limite de vos pas, ménageant partout des îlots tranquilles où les hommes et les bêtes voisinaient et s'aidaient comme le font à coup sûr les amas d'étoiles dans le firmament, et le paysage du pays-ci, où tout se répétait à toute allure dans un concentré tourbillonnant de tous les paysages possibles (mais où peut-être la paisible certitude d'être un îlot dans l'infini ou une étoile dans le firmament n'est donnée à personne) : qu'il perdit donc la voyance de ces deux paysages, la connaissance de leur écart : et qu'il ne sut jamais que ce pays d'aujourd'hui était aussi (dans son ressassement acharné) l'ouverture sur un autre infini – l'Amérique –, sur un recommencement d'espaces dilatés, que les découvreurs par prétention de découverte appelèrent le Nouveau Monde : et qu'ainsi cette terre qui le portait sans qu'il s'y plantât commodément était bien un relais originel, un compromis en condensé entre deux infinis au cœur. Et de ne pas le savoir, étant torturé du besoin de ce savoir, enferma donc Pythagore dans l'errance du songe. Et avec lui nous enferma (moi disjoints qui nous acharnions chacun vers ce nous : les hommes des hauteurs aux orteils crispés dans la boue rouge, les femmes aux fesses matées charroyant leurs trays de légumes, les commis insolents époussetant leurs manches, les économes et les commandeurs de Plantation raides sur leurs chevaux maigres, les vagabonds des communes jouant d'une flûte imaginaire, les enfants psalmodiant sur les bancs des écoles communales ce privilège d'être portés à la civilisation, et jusqu'aux mulâtres innocents qui croyaient avec si peu de grâce *représenter* quelque chose, et dont les salons s'ornaient des mêmes tapisseries vendues par les Syriens ambulants et répétant sans répit leurs scènes de chasse au lion dans le désert ou leurs paysages de neige ponctués de cerfs, de bouleaux ou de sapins gris) dans la même impossibilité tour à tour désinvolte et torturée. Ce qui resta du tourment de Pythagore se concentra dans le balbutiement obstiné du mot (même pas un mot, un éclair répété de sons) *Odono Odono*, dont nous avons tous ri sans nous douter que le même éclair parfois nous traversait. Puis, un jour, Cinna Chimène s'en alla. Tout simplement prit ses hardes et son bagage, descendit le morne. S'installa sans drame chez une de ses tantes au bourg (c'est-à-dire, chez une femme qu'elle avait accoutumé d'appeler tante Ada), et n'entendit plus parler de Pythagore. Ce fut merveille qu'emmenant les six garçons (c'étaient les barreaux d'une échelle, de neuf à trois ans, qu'elle éparpilla bientôt chez autant de cousine, tante, voisine, grand-maman, da et marraine) elle pût si totalement oublier son existence de naguère, se mettre en ménage avec celui-ci ou celui-là au gré de la vie et garder une honnêteté de manière que nul ne songea un jour à lui dénier. Elle était serveuse dans un *privé*, lessiveuse à Longwiyé ou bonne chez les messieurs et dames du bourg, et l'usage fit qu'on l'appela madame Chimène ou de manière plus aimable man Chimène (nous ne saurons jamais si ce man marque pour nous le familier constat de la respectabilité ou le plaisir d'honorer toute femme par cette moitié parfaite du mot manman). Ni Cinna Chimène ni Pythagore ne se demandèrent ce qui avait grandi entre eux comme un champ d'épines. La vie était ainsi. Ce n'était même pas à se poser des questions. L'auraient-ils fait qu'ils n'eussent pour autant jamais deviné que le champ d'épines recouvrait le souvenir impossible (qui avait pris corps dans l'épaisseur tremblante d'un four à charbon ou s'était éparpillé au vent comme un brûlis d'avant les labours) d'une catastrophe dont le mot Odono résumait l'écume frêle et révocable ; que leurs discours en apparence contradictoires signifiaient un identique malaise, et qu'ils avaient peiné à vivre ensemble pour la raison qu'ils ressentaient la même brûlure, portaient le même trou dans la tête. Mais il est vrai que dans ce pays fermé comme une barrique, bercé comme une yole à la cadence d'un vent, un coupeur de cannes et une Négresse des champs, même si celui-là était lourd d'un souci qu'il n'amarrait pas à son corps, et même si celle-ci avait appris à cambrer les reins pour se faire considérer de tous, n'auraient su exprimer un aussi profond tourment, qu'ils partageaient pourtant. Les jours tombaient dans les jours, avec le même poids de terres soulevées, de drills épais battus sur les roches de rivière, de brasses de cannes tassées sous le soleil. C'était peut-être à une enfant maigre statufiée de porter son regard par-delà les choses connues : Mycéa. Elle avait refusé de quitter la case, et quand elle fut reçue au Cours Moyen où n'accédaient que les élèves les plus doués elle s'entêta contre tous à remonter le soir vers son plat de planches où les hardes qu'elle exposait chaque jour dehors sentaient chaud le vent du morne. On ne s'étonna pas trop d'une telle obstination. Marie Celat n'avait aucune raison de s'attacher à Cinna Chimène plutôt qu'à Pythagore. Depuis toujours elle s'était écartée ; elle n'avait pas bougé, voilà tout. Sèche comme un pied de piments, ses yeux fixes vous repoussaient jusqu'au point où vous ne vouliez pas reculer et où vous vous retrouviez soudain, criant qu'une enfant n'avait pas le droit de déporter ainsi les gens. Elle faisait cuire les légumes, le fruit-à-pain ou les dachines ou les ignames portugaises dans le chaudron où Pythagore se servait, au retour de ses colloques nocturnes. Elle refusait de cuisiner les patates douces ou les bananes jaunes, comme si le goût sucré de ces légumes lui paraissait indigne de son existence. Ils vivaient comme un couple accoutumé aux servitudes et aux tracas de chaque jour, sans se parler ni se disputer. Pythagore en somme croyait stupéfait recommencer avec elle ce tracé de silence qu'il avait taillé avec Cinna Chimène dans la masse des jours. Il l'appelait (exprès) Marie-Celat sans qu'elle répondît jamais. Elle n'apparaissait plus (c'est-à-dire, depuis le jour où Cinna Chimène avait quitté la case) aux hauts de morne qui bornaient le chemin de Pythagore. Il la cherchait partout, pariant sans se lasser qu'au détour du prochain fromager, au coin de la première levée de terre, il la verrait surgir, les yeux levés fixes vers le soleil ; les cheveux pas plus longs qu'un carré d'allumettes. Puis elle prépara le Concours des Bourses qui l'autoriserait à suivre les classes du Pensionnat et à continuer des études secondaires, et l'idée grandit entre eux que bientôt elle s'en irait. Pythagore pressentait ce qu'il y aurait là de remarquable ; qu'une petite à rien du tout descendue des mornes pût s'asseoir dans la même salle de classe que les demoiselles de la ville, raide et perdue parmi ces pétulantes déjà nattées pour les bals et les réceptions, leurs parures d'organdi nouées de taffetas rose, et leur montrer ce qu'est une tête qui fonctionne. Il lui en venait un respect anticipé qui parfois le paralysait net au bon train d'un sarclage ; alors il passait lentement le bras replié sur ses yeux, pour en chasser la sueur en même temps que ce mirage. L'idée du départ prochain de Marie Celat creusa donc le silence entre eux. Mycéa donnait à manger aux bêtes, courait prendre de l'eau à la source, nettoyait la case, préparait tout pour le sommeil, enfin s'installait sous le pied de mangue-amélie à une table qu'elle avait montée avec des caisses et des cordes et ne bougeait plus, sauf pour tourner les pages ou sucer son crayon, jusqu'à ce que l'ombre papillonne dans ses yeux et que le bruit de la nuit (qu'elle se forçait à entendre) l'avertisse de l'heure. Elle rentrait, allumait son lumignon et reprenait dans son coin de case cette course aux mots qu'elle avait si bien entreprise depuis si longtemps qu'elle s'en était trouvée comme dispensée d'avoir à en prononcer beaucoup, les réservant pour son combat silencieux. C'est vrai qu'elle ne criait que le créole (sauf bien sûr à l'école – c'est-à-dire, dans la classe même – quand elle répondait avec exactitude mais de voix bien mauvaise aux questions des institutrices, lesquelles tentaient de s'empêcher de la détester, sans y parvenir) et que Pythagore eût été statufié de savoir qu'elle ne faisait jamais de faute à ces dictées multipliées qui parsemaient la préparation au Concours d'autant d'embûches insurmontables pour plus d'un. Comme si le parler français (l'écrire) forgeait un outil secret, le levier camouflé d'un ouvrage qui n'était pas à proclamer. Elle injuriait sauvage les garçons, jaloux de ses succès, qui ne concevaient pas comment elle alliait un tel abattage du créole et une si rêche exactitude du français. Et le dévoué directeur de l'école prétendait tout cru qu'on n'eût pas dû instruire des créatures aussi débornées ; il voulait dire, aussi peu préparées à recevoir avec gratitude et distinction le savoir qu'une volonté complaisante entendait distribuer non à tous mais aux plus méritants. Ce Nègre à talents (qui complota peut-être pour que Marie Celat ne fût pas présentée au Concours) estimait que la rudesse des manières était à polir aussi bien et en même temps que la rudesse des langages. Il eût de bon cœur interdit une fois pour toutes et partout ce qu'il appelait le patois créole (dont il usait abondamment dans son privé), persuadé que ledit patois constituait obstacle à un progrès *dans la bonne voie.* Il haïssait Mycéa, d'être obligé de convenir qu'elle contredisait à ses théories. En particulier, la disposition pour lui « baroque » de ses nattes, pointant comme des flammèches sur le crâne, l'indisposait. « Ce que nous consentons, messieurs, à la statue de la Liberté, parce qu'elle plane loin au-dessus de nos petites misères, *le planté raide du poil de tête* (et pour ces derniers mots il abandonnait l'accent pointu pour affecter le parler plat des gens de son pays), nous ne saurions l'admettre parmi nous. Il en est qui méconnaissent la vertu des pommades. N'est-ce pas, messieurs ? » Marie Celat restait fixe et silencieuse. Mais à vrai dire le distingué homme souffrait. Qu'on pût être de manière si manifeste doué pour les humanités en même temps que si imparablement sauvage, l'offusquait. Il en était gêné d'avoir à dévider devant Marie Celat son chapelet civilisationnel. Que le savoir et le bon goût avaient à la lettre pris naissance dans et autour la Méditerranée, que la chrétienté avait été sauvée à Poitiers où les hordes arabes avaient été « martellisées », que l'accord de temps dans les verbes était une musique du ciel, que *pallier* (ô délicat ravissement) commandait le complément direct, que nous devions nous efforcer à gravir (nous n'en aurions que plus grand mérite d'être venus de si bas) l'échelle vertigineuse des valeurs universelles. « L'homme, messieurs (pour ainsi dire les dames de la classe ne comptaient pas), l'homme. L'universel. Ah ! messieurs, le fier programme. » Marie Celat baissait la tête, non pour avouer son insuffisance ni cacher sa défaite : pour se fermer à ce discours qu'elle n'aurait su contredire mais qu'une disposition douloureuse de son corps d'enfant refusait. Seulement son corps, car elle ne savait certes pas ce qui, au travers de la cérémonie que le directeur se jouait à lui-même beaucoup plus qu'il ne la destinait à ses élèves béants, l'atteignait comme une roche. Elle était bien incapable de trouver dans sa pensée l'endroit précis où le flux des paroles du directeur brusquement bifurquait vers des territoires de néant. Elle était assise, volonté grège de vaincre les mots à la course ou de les terrasser au corps à corps. Il y avait seulement quelque chose en elle qui se raidissait sans qu'il y parût et qui lui donnait cet air irréductible que Pythagore avait craint avant même de s'y heurter. Et comme il s'était séparé de Cinna

Chimène (ou n'avait rien tenté, ni elle non plus, pour dissiper l'épaisseur de séparation) pour la raison qu'elle et lui souffraient le même manque, ainsi accumulèrent-ils entre eux, l'enfant opiniâtre et l'homme analphabète – parce qu'ils étaient la même nature disloquée en deux corps irréconciliables – tout ce qui d'inconnu leur était donné à même la peau : peut-être dès le premier jour du pays d'avant – l'Afrique – ce combat de deux hommes dont l'un devait trahir les siens pour un déni d'amour ; oui, peut-être cette lisière de village où tout se joua et se noua, dans un espace qui bientôt dilaterait en océan ; peut-être ce regard du roi, deux siècles plus tard, quand il débarqua s'il se trouve à cette pointe de terre où on avait accoutumé de livrer les « traités » comme un bétail malade (et que par logique on appela la Pointe-des-Nègres) ; peut-être le mot Guinée ou le mot Congo accrochés comme des leurres à un mât de cocagne au haut duquel brimbale la culture universelle ; à coup sûr cette mer incréée, mer Caraïbe ou des Antilles, qui n'est pas enfermée de rivages, qui ne couve d'abord pas dans son ventre l'histoire de la terre pour ensuite l'accoucher à sang et douleurs, mais qui par un mouvement contraire irradie (étant son seul milieu, sans régenter ailleurs) d'un constellé de terres – les Îles – dont les histoires partent en dérive sur son eau ; et encore oui, au plus haut de l'échelle du Beau, Cinna Chimène tressant en fleurs de fumée une très ancienne douleur. Tout cela, inconnu d'eux, les éloignait l'un de l'autre. Mais il restait à Pythagore à connaître de vrai Mycéa. Ils pensaient bien qu'ils vivaient leurs derniers *reliquats de communauté* ; que le savoir, bien plus que le rang ou la richesse, les séparerait bientôt pour tout de bon. C'était ainsi. Alors ils épaissirent la distance entre eux. La case fut partagée en domaines inviolables. Pythagore ne laissa jamais plus son coutelas ou sa houe dans la « partie » de l'enfant, et elle se gardait bien de déposer ses cahiers ou son ménage « du côté » de l'homme. Ils avaient pressenti que le partage les préservait de contamination, et qu'il fallait séparer leurs misères insoupçonnables. Pythagore cessa d'interpeller les passants et d'aller le soir parader en mots à la boutique de l'Habitation, ce qui fit baisser la vente au détail du tafia. Il se parlait à lui-même. Il s'arrêtait à une croisée, le coutelas pointé devant, et il s'interpellait. On racontait que c'était à cause de Cinna Chimène ; pas un ne pensait à Mycéa. Mais ce n'était pas à cause d'un corps vivant se déplaçant sur deux pieds, c'était par la force d'un vent qui avait été assez continu pour souffler sur trois fois cent ans de soleil dans les cannes et qui à présent tournait en guêpe dans la tête du premier élu venu. Mycéa en statue regardait droit vers Pythagore. Elle *faisait exprès de le voir*, tout comme elle avait naguère fait exprès de ne pas le remarquer. Il rentrait tôt dans la soirée, s'asseyait à la porte et continuait de tresser des cordes pour son mulet. Elle s'accroupissait en face de lui et patiente attendait, fixant tour à tour les mains et la figure ronde pesante d'une détermination sans fin, qu'un bout de corde fût ouvragé : alors elle se dressait, dans ce mouvement mécanique par quoi elle surprenait chaque fois les gens, et ordonnait sur la table les légumes du jour, quelquefois la morue rôtie ou les œufs frits. Elle ne le quittait plus. Elle le suivait de près sur les chemins (elle était donc descendue de ses hauteurs) et observait avec concentration les moulins de gestes qu'il dévidait en se parlant. Il s'arrêtait et la regardait, debout de l'autre côté d'une tracée ou assise sur une fontaine yoyo. Ils appréciaient sans doute ce concentré de regards par où ils échangeaient tout ce qu'ils pouvaient donner, tout ce qu'ils étaient maintenant libres de donner, en partage. Nous les voyons passer. Nous courons en fanfare derrière l'homme, que nous hélons à la volée : « Pythagore ! Sémaphore ! » Nous crions que sa manière lui vient du soleil ; ou de Cinna Chimène. Man Chimène a mis dans une pipe la cervelle de Pythagore, et elle a allumé. Nous crions que c'est la misère : la misère te décortique comme une casse trop avancée. Avons-nous deviné dans la masse des temps ce jour où le géniteur enfin s'illumina de la boule de lumière qui avait grossi dans la tête de la fille ? Le Concours des Bourses pour la Sixième était décidé, la date affichée. Il n'y avait rien à changer. Mycéa regardait Pythagore. Il tenait son ouvrage comme un cordon de catafalque. La nuit rongeait le rose marbré du bas ciel où les arbres se noyaient, les oranges sures, les prunes chili, les mangots verts. Marie Celat, qui avait tout juste dix ans et quelque, allumait son lumignon. Elle déposait un cahier sur la table du dedans, suçait le bout d'un crayon, murmurait avec application (enfant grandie de rien du tout, qui, s'adressant à son ascendant, exagérait d'instinct la maladresse de ses mots, pour ne pas le gêner) : « Odono, Odono. Venez et s'il vous plaît. Je vais t'apprendre abcd. » Pythagore, qui à cette époque avait trente-six ans bien tombés, s'asseyait devant la page blanche, la tête en feu, les yeux écarquillés.

Chemin des engagés

Ozonzo Celat était rond de rond, de manière que ses vêtements de travail, pantalon et chemise taillés dans des sacs de guano, lui faisaient un seul tour où on ne distinguait ni la corde de la ceinture, enfoncée dans les chairs, ni les coutures des manches et de l'entrejambe. Éphraïse Anathème disait que c'était un coui sans fond, et il était connu qu'un jour il avait mangé vingt-sept carreaux de fruit-à-pain sans huile ni viande-cochon. « Je ne vais pas fournir à des boutiqueurs », avait-il coutume de déclarer. Aussi, malgré le cours trop prévisible de son existence aux côtés d'Éphraïse et de leurs onze enfants, tenait-il très bonne réputation auprès des majors vagabonds du quartier. « C'est un Nègre rafistolé », disaient-ils, sans qu'un quelqu'un demande si cela signifiait un Nègre ramené (par une opération inconnue) de sa négrerie, ou un Nègre recomposé à partir de tant d'éléments qui s'étaient jadis éparpillés sur l'Océan avant d'être à nouveau soudés en un sur la terre d'ici. On l'appelait aussi « papa-mulet », parce qu'il était le plus savant « manipuleur » s'agissant de ces bêtes et parce qu'un dimanche, au sortir de la messe, il avait déclamé sur les marches de l'église paroissiale que quant à lui on ne pouvait qu'admettre qu'il était le pape à mulets. Ces animaux lui obéissaient sans faillir et acceptaient de sa main les plus rudes badigeonnages de bleu de méthylène sur les chairs élimées par le bât. Ozonzo grognait en les soignant des choses tout à fait inimaginables, auxquelles les bêtes répondaient par des saccades de queue ou des vibrations d'oreilles qu'il prétendait déchiffrer comme une langue secrète. Les békés des environs empruntaient Ozonzo chaque fois qu'ils voulaient modifier par vente ou achat leurs troupeaux, ce qui fait qu'il navigua sans cesse de l'un à l'autre en tâchant de ménager tant d'intérêts inconciliables. Éphraïse Anathème était comme le fil de la couture. Sa figure en triangle mincissait encore quand elle criait après les enfants, et c'était un spectacle qui pétrifiait que celui de ce corps absolument vide de chair et qui devant vous trouvait moyen de s'étrécir à plein œil quand il était ravagé de fureur sèche. Le plus courant de l'activité des enfants consistait à *ne pas voir* Éphraïse, d'où leur vint une habitude de marcher, de travailler ou de manger les yeux baissés, qui leur valut partout la réputation d'enfants de bienséance. Le six ou septième, aussi costaud que son père et deux fois plus grand, était appelé Pythagore. Il préférait, tout comme les autres, les coups de boutou d'Ozonzo et l'exténuement qu'il leur imposait dans le travail au *regard maigre* d'Éphraïse. Il accompagnait donc Ozonzo en cette soirée de juin 1916, et la nuit depuis longtemps avait englouti le chemin de roches et de boues par où ils revenaient vers la case (la nuit tombe dans le soir comme dans une fosse), quand ils devinèrent près du gros pied de quénettes ce renflement grisâtre de l'ombre qu'ils crurent d'abord être un chien errant affalé là, épuisé d'avoir couru tout le jour après quelque chose à dévorer (à moins que ce ne fût un zombi sans pratique, peinant à recouvrer sa forme humaine), et qui était la petite fille. La petite fille dont ils ne surent jamais d'où elle leur était tombée. Ozonzo l'éleva sans hésiter au-dessus de sa tête et lui grogna des sons inarticulés, tout comme si elle avait été un mulet rétif. « Ho ho », chantait-il, « zon ho zo ho zon ho », chantait-il. C'était là une de ces inconnues que nous ne pouvions résoudre : si son nom lui venait de son grognement ou s'il avait décalqué celui-ci sur son nom. Il estima tout de suite (au poids, comme pour dire) que l'enfant portait cinq ans ou à peu près. « Ho zon ho », chantait-il, et en effet il semblait à Pythagore que le petit tas de linge répondait, non par des mots mais comme par un balancement du corps et par des rebondissements de la tête enveloppée d'un madras sans forme. Ozonzo flottait dans l'éther. Pythagore ne fut pas étonné de le voir suivre, toujours portant sa charge, la trace qui menait à l'enclos des mulets. Il voulait d'abord, ainsi qu'il le dit par après, dévouer sa trouvaille à sa vraie famille : les trois mulets rêches qui bougeaient dans le noir les ayant senti venir. La palabre reprit. Ozonzo présentait le paquet devant les naseaux des mulets, il tournait autour d'eux en dansant : tout d'un coup il s'envola (presque) par-dessus la barrière pour atterrir d'un seul mouvement dans la case où alertée la famille l'attendait. La figure d'Éphraïse rétrécit ; net les enfants baissèrent la tête. « Ho zo ho ho. » Rien n'arrêterait Ozonzo. Il expliqua que l'enrobée comprenait le langage des mulets et entreprit une démonstration. Éphraïse interrompit grognements et balancements pour arracher les linges. Ils virent pour la première fois la tête pour ainsi dire fermée, les yeux clos, la figure retirée vers le dedans : comme si cette personne (il ne leur était pas venu à l'idée de la déconsidérer en la renfonçant dans l'innocence et l'ignorance des tout-petits) s'entêtait à refaire en pensée le chemin qu'elle avait parcouru en balance au haut des bras d'Ozonzo : la montée au long du champ de caco qui tassait une rivière de nuit au corps de la nuit, le détour si brutal devant l'enclos, là où la terre rouge était lisse et se divisait avec une équité ozonzonienne entre la trace des mulets et l'allée de la maison. Éphraïse aima ce front barré, ces yeux fermés. Sans l'avoir regardée, les enfants sentirent l'ombre de sourire qui flotta sur son visage en pointe. Ozonzo en fut si stupéfait qu'il arrêta d'un seul coup. C'était la première fois qu'Éphraïse Anathème et lui se rencontraient d'accord sur un sujet. Ozonzo pensa qu'Éphraïse lui volait un peu de sa découverte. Elle avait accepté trop vite cette intrusion. Quand Éphraïse désirait quelque chose, les autres comprenaient aussitôt qu'ils n'y avaient pas droit. Le moindre de leurs plaisirs leur semblait une conquête sur l'obstination de cette femme qui régentait leur existence. Qu'elle ait du premier coup reconnu l'enfant (qu'elle en ait presque souri) faillit les rejeter dans une opposition sans bornes. Mais il était trop tard pour reculer : Ozonzo ni Pythagore n'auraient pu faire mine maintenant de détester ce qu'ils avaient eu tant de joie (et si manifestée) à ramener dans la case. Ozonzo trouva manière d'affirmer sa préséance. Il décréta soudainement qu'il y avait à nommer la fille, et décida du nom. Il rêva sur une portée de beau soleil venant casser un balan de grosse pluie, et fut sur le point de crier que ce serait *L'Embellie* – mais brutalement explosèrent dans sa cervelle les ronds de terre qu'il avait défrichés dans la forêt pour y planter son manioc et ses ignames : il chanta donc que l'enfant s'appellerait *L'Habituée*. Elle serait comme une habituée qu'il aurait portée au cœur de la vie, une clairière qu'il aurait taillée dans le touffu des jours. Et en effet pendant quelque temps nous avons crié cette fille L'Habituée, sans autre souci. Ozonzo espérait qu'aussi ce nom dérouterait Éphraïse de la sorte de contentement qu'elle avait si étonnamment manifestée. Il n'y avait pas de quoi sourire quant à ceci qu'on avait « découvert » cette quénette, puisque en habituée elle avait toujours été là. I té la, sé nou ki pa téka ouè. Nous finissions par convenir que nos yeux avaient en effet jusqu'à cette nuit été aveugles. C'est au matin d'après qu'Ozonzo trouva dans son enclos un quatrième mulet, une bête d'à peine deux ans, sans marque de bât ni cicatrice aux pattes. Il cria que la voyageuse était arrivée avec sa monture. Éphraïse libéra la bête.

Sûr et certain que son propriétaire réclamerait. Mais le mulet revint à l'enclos où pas un possédant ne se montra. Ozonzo proclama que l'enfant était la maîtresse légitime, qu'on ne pouvait lui donner l'hospitalité dans le même balan qu'on enfermait l'animal dehors. Nous chantions : « L'habituée avait un mulet, le mulet n'est pas habitué. Éphraïse a ouvert la porte, mais la course n'a pas démarré. Le mulet a déviré, le mulet est déviré. » Ozonzo intronisa la bête dans l'enclos. Éphraïse se contenta de la regarder fixement entre les deux oreilles, sans doute pour déchiffrer ce qu'elle cachait sous le plat de son front. L'air était vert, comme d'un vert frais et brûlant, nourri de mâchures de cannes et de pourritures de caco. Les dimanches sentaient la viande en daube et l'écru des souliers neufs. Nous étions à peine carnivores, toute la semaine nos ragoûts marinaient en légumes. Étions-nous vivants ? Nul ne tressaillait de nos cris. Ni les békés affalés dans ce qu'on aurait sans doute pu appeler leurs béatitudes, ni les Arrivants somnolant autour de leurs punchs dans la pénombre des Cercles où les mulâtres les recevaient, ni les mulâtres bien sûr, si loin au-dessus de nous et si loin au-delà d'eux-mêmes. Il y avait pourtant comme une excitation continue qui travaillait le pays, tout de même que le toloman travaille à petit feu avant de prendre corps, et qui, peut-être parce que le feu était trop faible pour nous, s'alentissait dans la bonasse des après-midi, où plus rien ne bougeait. Nous sautions à nos misères et à nos plaisirs, sans plus y penser. Nous n'avions pas appris à quitter les Plantations, plus isolées que des enclos. Nous vivions à quelques mètres de la mer, sans jamais y plonger nos corps. Tel qui naissait à Reculé ne songeait pas une fois de sa vie à franchir l'infini qui le séparait du Morne Pérou, quelques kilomètres plus loin. Tel qui sarclait à la Palun n'aurait su dire comment se découpait la ravine qui dévalait la montagne du Vauclin. Nous nous évadions pourtant des Plantations quand nous courions les vidés du Carnaval :

mais c'était pour le plaisir d'avaler l'espace ; car en ce si absolu moment où il nous était donné de déborder partout hors des limites réglées, nous nous renfermions dans le tournis de la course et ne regardions pas plus autour de nous. Le Carnaval était pour nous retirer en nous-mêmes, dans la spirale de l'ivresse, et y fréquenter les masques-miroirs où un passé d'au-delà les eaux nous guettait. Les vidés du Carnaval étaient pour l'illusion de courir cet espace sans retenue que nous avions quitté – avec le pays d'avant – et qui sous le lacis de nos enfermements (de quelle autre manière qualifier, quoique nous n'en ayons pas eu un sentiment très net, les cours d'Habitation et les semis de cases où nous naviguions) continuait de pousser en nous sa ventée par moments suffocante. Nous cachions cela sous le bon air de nos gestes et le pas-croisé de nos allures quand, passée l'ivresse et déroulé le tournis, nous retrouvions les traces de boue en escarpe à flanc des mornes, les terrassements à vrai dire imperceptibles où nous soufflions un peu en nous appuyant contre les gros manguiers, les marches taillées de terre rouge et soutenues de bambous enlacés. Tout finissait au matin devant la maison du commandeur, pour la distribution des tâches. Dans un tel allant de vies nouées aux boucans de misère, où à peine mourait de loin en loin l'écho de quelque répression comme ordinaire et sans éclat, la plus incroyable rencontre n'étonnait pas. Ozonzo ne s'était pas alarmé d'avoir trouvé dans l'espace d'une seule journée une petite fille et un mulet : celui-ci qui avait découvert tout seul le chemin de son enclos, celle-là qui s'était couchée sous le pied de quénettes au bas de la montée comme pour attendre qu'il passe. Le mulet nous paraissait plus surprenant que l'enfant. Ozonzo fit les démarches nécessaires pour leur procurer un état civil : mais l'officiel de mairie était aussi négligent que le lui permettait son état, c'est-à-dire qu'il fit semblant d'écouter Ozonzo, sans plus bouger ; les gendarmes à cheval se préoccupaient peu d'une petite Négresse à la dérive. Aucun géniteur ne parut, ni propriétaire de mulet. L'enfant trouvée ne dit pas mot de ce qu'on aurait pu, si quelqu'un s'en était inquiété, appeler son origine. Seul Ozonzo s'échinait à éclaircir la chose ; et puisque les autorités se taisaient, il eut recours à des pratiques. Il consulta plusieurs fois le quimboiseur du quartier ; il y consacra nombre de lapins et combien de légumes. Mais l'enfant résistait aux plus exigeants des bagages qu'il amarrait aux pieds des vierges de chapelle. Les graines de piment roussi combinaient avec le suif de serpent et l'eau bénite et la feuille de palma christi et les boyaux de mabouya et le sang de coq vierge et l'extrait de papyrus des Indes, dans toutes les proportions et selon tous les rites. L'Habituée gardait son secret. Le quimboiseur déclara qu'elle était protégée : il se proposa pour lui écorcher la peau (nous ne savions comment) et lui donner une nouvelle enveloppe. Nous chantions : « Manzè Labitué di nou la'ou sôti ? An ki tchou bourik, an ki zorey milé ? » Car pour n'être pas obsédés par le problème des origines, du moins dans cette partie de nous – l'apparence excitée – que nous gardions si soigneusement à l'écart de toute profondeur et à l'abri de tout examen, nous n'en étions pas moins portés à nous moquer avec affection de tout sujet qui eût risqué de nous rapprocher – dans nos ravines angoissées – d'un tel souci. En la circonstance nous n'aurions pu laisser passer ce cul de bourrique ni cette oreille de mulet, expulseurs probables de L'Habituée, sans y fourrer nos chanters ; notre cynisme ne se trompait jamais à de telles rencontres. L'employé d'état civil, qui ne soupçonnait pas que nos absurdes mélopées pussent avoir un prétexte, décida enfin d'octroyer à l'enfant une identité ; peut-être aussi pour faire cesser ces rengaines qui l'importunaient. On la déclara née en 1911 (elle portait si à vue d'œil sept ans), de parents inconnus (on avait tambouriné des avis de recherches deux ans après sa « découverte »), et on la recensa Cinna Chimène, sans préciser laquelle de ces deux appellations répondrait à son nom de famille : ce qui fait que jamais Cinna ne fut séparé de Chimène tant que la dénommée vécut chez Ozonzo, et qu'on disait d'une traite Cinnachimène, tout autant que Viergemarie pour la mère de Dieu ou Ausiencas pour la boutique de Mme Chechette. Quant au mulet, nous apprîmes bien plus tard l'histoire de sa nomination mais nous sûmes tout de suite qu'Ozonzo le hélait à grandes rentrées du corps (et de manière spectaculaire) : « Macadam ! Macadam ! » – et qu'il arrivait au trot, tout de même que le plus assoupli des chevaux d'attelage. Les enfants d'Éphraïse, garçons et filles, adoptèrent donc Cinna Chimène, malgré le brin de jalousie que levait en eux son nom particulier. Elle dormit, la robe de nuit relevée jusqu'au cou comme un énorme collier, sur le bat-flanc de planches où ils s'alignaient pour la nuit, sans ordre ni préférence de voisinage. Pythagore se réveillait parfois (mais il était sans doute le seul) quand le hasard de l'installation le rapprochait de Cinna Chimène et il restait longtemps à pressentir dans le noir la forme du corps de la petite fille, tout empli de ce renflement de l'ombre qui lui rappelait à chaque fois le premier moment de surprise sous le quénettier. Ainsi apprit-il avant l'heure ce qu'est la méditation nocturne et combien de visions peut susciter une forme devinée dans un lointain si touchable. Seul Ozonzo était morose. À quarante-quatre ans, il chantait parfois qu'il accompagnerait ses deux aînés, réquisitionnés pour la guerre qui depuis deux ans opposait là-bas Guillaume aux Alliés. Ozonzo imaginait Guillaume en major de quartier défiant à la ronde les costauds d'alentour, et il n'était pas loin d'en concevoir pour l'empereur des Allemands une manière d'admiration agressive, comme s'il devait un jour se mesurer à lui en combat corps à corps. Il se représentait la guerre comme une succession, plus effrénée qu'à l'ordinaire, d'affrontements personnels. La mort ne planait pas sur cette évocation, mais seulement le sang, c'est-à-dire le plaisir de labourer l'adversaire sans pour autant le tuer. Quand il parlait de partir (les chefs ne l'avaient pas appelé), Éphraïse serrait seulement Cinna Chimène dans l'arc raidi de son bras, montrant par là qu'elle avait surpris le pourquoi de ce parler. C'est qu'Ozonzo ne supportait pas d'avoir à partager l'enfant avec la mère de ses enfants, ni même avec ceux-ci. Pas davantage avec Pythagore qui pourtant l'accompagnait partout et bon avait pris part à la découverte. Ozonzo ne supportait pas non plus de courir sans fin après la provenance de Cinna Chimène ; comme si d'être jaloux de géniteurs inconnus rendait plus brûlante la jalousie, ou comme si cette ignorance, de s'ajouter à tant d'autres, lui devenait inacceptable sans qu'il s'en doutât. Tourmenté du besoin d'éclairer les origines de Cinna Chimène, il ne réfléchissait pas qu'il n'en savait guère plus sur les siennes propres ni sur celles d'Éphraïse Anathème. Le poids n'en était que plus lourd à porter. Aussi, faute de partir en guerre contre Guillaume, tentait-il d'entraîner l'enfant dans la tempête de quel ressouvenir, douloureux et incertain. C'était surtout par un conte qu'il chantait à chaque fois qu'ils étaient seuls et auquel Cinna Chimène trouvait un plaisir sans fond : comme d'un savant qui n'eût cessé de s'émerveiller des détails d'une récente découverte. Ozonzo tout en maladresse avait adapté le conte pour l'enfant ; disant que : « À ce qui paraît qu'il y avait un gros poisson si gros si gros que la terre entière entrait dedans. La gueule de ce poisson-là était en balustrades comme la Grande Maison sur la hauteur, et tu peux défiler dedans et t'asseoir par terre pour attacher ta guêtre et brosser ton panama. Qui l'eût cru ? Nul n'eût cru. La dent de devant taillée en marbre, les dents derrière poussaient en barrière plus que de fer. Eh bien bon, ce poisson-là mangeait tabac, il fumait un cigaro tellement gros que l'eau de mer avait bouilli devant sa bave pendant trente-six années de suite. On n'a rien dit de son ventre pour la cause que pas un n'était entré dedans pour ressortir. Mais un jour j'ai roulé dans la larme de l'Océan ; je suis entré dans son boyau, et me voici pour te dessiner le monument. Qui l'eût cru ? Nul n'eût cru. Il était si noir dans son boudin que tu pouvais tricoter dedans l'abat-jour de minuit. Mais j'avais porté les besicles de l'aurore astrale, celles-là mêmes qui ont six arcs-en-ciel pour branches, la lune à droite devant ton œil droit et le soleil à gauche devant ton œil gauche, un astre dans un œil, et comme ça j'ai vu à l'aise dans le poisson. Dans le poisson il y avait une grande grande chambre avec tout le détail de la richesse, un lot de tafia et combien de chemises de nuit sans compter les salles de commodité. Qui l'eût cru ? Nul n'eût cru. C'était le poisson-chambre. Chambre n'est pas pour dormir, pas pour faire la literie, pas pour mettre la robe de nuit, pas pour mener la rêverie. Chambre est pour compter l'argenterie et ordonner tout le profit. Dans la population de la mer, quand tu bâtis tu commences par la chambrerie. Eh bien bon, la trappe que tu vois au fond, elle te jette dans le plus bas, où même ces flambeaux-là sont comme la fleur de l'aveuglement. On a mis là tous ceux qui sont marqués pour le déportage. Qui a mis là ? Le poisson-chambre a mis là. Écoute si madame la nuit croise ses bras pour crier qu'il y a mentir ? La nuit ne crie pas. Dans le boyau du poisson, tu ne peux pas lever, asseoir, marcher, tu es roulé dans le caca. Tu comptes la nuit, comme qui dirait sans séparer ni un de deux ni deux de deux cents millions. Donc, il y avait deux frères pour un seul jardin. C'est la situation sans lendemain. Et un des frères a monté sur une roche devant la mer, et il a chanté : “ Ô poisson-chambre, do sans do et tomb sans tomb. Ô poisson tac tacalic, apparais sur la vague. Viens prendre l'un, car l'autre a goûté au jardin. Le jardin est tout doux, ô grand boudin transatlantique. Viens au secours et au recours, ô poisson-poissonné. ” Alors le poisson-chambre était convoqué là devant, son cigaro bouillonnant l'eau, ses yeux plus éclairés que le firmament, sa queue à la brise comme un battant pour tout le linge de la mer. Qui l'eût cru ? Nul n'eût cru. C'est que le frère avait donné à boire au frère l'essence de la fleur d'aucune heure, celle qui fait que tes yeux tombent dans ton fond, et il l'a ainsi engouffré tout mou dans le dedans du poisson. Et il criait : " Bon vent, bon vent. Quand tu bois la fleur d'aucune heure, tu te lèves à côté du temps. Bon vent, bon vent. Le côté du temps, c'est la fosse de l'océan. " Alors il a enlacé la femme du jardin, pour qui son corps avait brûlé. Mais le poisson-chambre a sauté plus haut que haut, il a chanté : " La fleur d'aucune heure a laissé son odeur. Ô frère tac tacalic, tu vas voyager tou. La femme du jardin a séparé les deux frères. Le jardin de la femme va rattacher les deux frères. " Alors chantant il prend dans sa gueule le frère endormeur aussi bien que la femme enlacée, chantant il porte dans son boyau le frère endormi et la cause trahie. Eh bien bon, quel était ce pays d'où les deux frères sont partis, l'un dans le noir dedans, l'autre sur la bouche en écumes avec la femme près de lui ? Si tu rames dans la mer pendant quarante-neuf nuits droit dans la vue de l'étoile Asbaroth qui est bien l'étoile du nord nord-ouest, et si tes mains ont poussé dans la rame jusqu'à devenir la pelle de l'Océan, et si tu ne tombes pas dans tes os à force hébété de boire le sel d'eau et de manger le chaud du ciel, et si ton cœur est éclatant comme la rosée sur le poil du premier poulain, et si tes ascendants et tes descendants sont assis à côté de toi pour tenir ton corps, et si ramant ramant chaque matin et chaque soir tu chantes : " Ô poisson-chambre, do sans do et tomb sans tomb. Ô poisson tac tacalic, n'apparais pas sur la vague. Laisse-moi passer, ô grand boudin transatlantique. Montre-moi le retour, ô poisson-poissonné ", et si ta voix a bien chanté comme ta main a bien ramé, alors tu tombes dans ce pays que les gens nomment d'Ayiti. Qui l'eût cru ? Nul n'eût cru. Dans le pays d'Ayiti les Nègres posent leur tête dans leurs mains et font passer de main en main, mais la tête ne casse pas. Dans le pays d'Ayiti on porte les nouveau-nés dans la terre et on attache les vieux-hommes à mémoire et les vieilles-femmes à remède dans le ventre de leur mère. Eh bien bon, tu vois le poisson avaler la mer et tu entends le frère dans la bouche, pendant qu'il tient la femme, qui appelle les sorciers. « Ting ting ting lolo. Ting ting ting lolo. Venez les animaux et les travaux pour arrêter ce poisson-là. Montez zombi zomban pour décaler la bouche et déboucher les dents. Ting ting ting lolo. » Les sorciers des profondeurs montent décali décalou, ils font des trous dans l'eau avec leurs têtes carrées ting ting ting lolo, ils vont pour scier la balustrade et étouffer la case-qui-nage ting ting ting lolo. Mais le poisson-chambre fait brûler son cigaro alors les sorciers dévalent incendiés. La flamme de malédiction brûle dans l'eau de mer, les animaux d'enfer consument jaune de soufre à travers le bleu-noir, ils précipitent vers les fonds comme un pété de Belzébuth. C'est tout ainsi que d'Ayiti nous voici débarqués sur le sable d'ici. Parce que le poisson-chambre a lâché en tas le frère la femme le frère dans le cailloutis sur la côte d'ici. Et le tas – qui l'eût cru ? Nul n'eût cru – s'est battu et débattu dans son tas, à tant que voici le frère qui amarre le frère sur le rocher de l'arrivage et qui s'encourt avec la femme dans le jardin sur les Hauteurs. Et quel frère a couru ? Et quel frère est ligoté ? Nul ne l'a su, nul ne le sé. Et quel frère a profité dans le jardin, et quel frère a mangé en bas la terre battue et boit le fiel de la perdition ? Nul ne l'a su, nul ne le sé. Pendant ce temps le poisson-chambre est reparti dans les profonds. Il navigue dans le noir des mers, où les noyés sont alignés. Les noyés portent le poids de boulets attachés à leurs cous. Le poisson-chambre a pris la couleur du noir des précipices. Tu ne le vois pas dans la mer qui est sa peau vivante. Donc un jour je suis tombé dans la mer, je fascinais la lune pour déchiffrer son ramage, et mon pied a dérapé. J'ai roulé dans la deuxième larme de l'Océan où le poisson-chambre m'aspirait. Mais mon nez est né malin, il était chevauchant les besicles de l'aurore astrale, celles-là mêmes qui ont six arcs-en-ciel pour branches sur tes oreilles, avec la lune à droite descendue devant ton œil droit et le soleil à gauche levé devant ton œil gauche. J'ai vu dans le dedans du poisson, plus clair que les noirs profonds où il navigue comme l'abîme qui traverse la nuit. Et j'ai chanté : " Ô poisson-chambre, do sans do et tomb sans tomb. Ô poisson tac tacalic, laisse-moi sortir du boyau. Envoie-moi sur la terre, plante-moi dans le jardin. Le jardin est tout doux, ô grand boudin transatlantique. Viens au secours et au recours, ô poisson-poissonné. " Alors le poisson-chambre m'a jeté dans la nuit des profonds, et avant que mon nez a respiré l'eau délétère des noyés il m'a pris sur sa queue et, qui l'eût cru ? Nul n'eût cru, il m'a envoyé d'un seul coup de la queue à travers le temps qui va sarclant les jours et les nuits et tout d'un balan je suis tombé là devant vous Cinna Chimène pour raconter. » L'écoutante devinait-elle ce qui sous cette histoire se dessinait en fait d'histoire ? Bien entendu elle ne le pouvait pas. Elle s'accrochait aux seuls détails qu'elle croyait être capable de mesurer, s'inquiétant de la forme des balustrades, et si l'eau était froide, et combien la femme était belle. Et qui donc, et qui ça donc, avait gagné le combat ? Le frère dans la bouche ou le frère tombé dans le noir-dedans ? Ozonzo s'en tenait à la lettre du conte, il ne voulait rien ajouter. Cinna Chimène criait. Elle essayait de prendre le conteur en défaut, elle prétendait qu'il avait chanté : « Tomb sans tomb et do sans do. » Grave, Ozonzo lui rappelait que la parole ne peut pas changer, tout comme la connaissance ne peut pas vaciller. Ils menaient leur combat de mots. Éphraïse Anathème décida de mettre fin à ces séances, de prendre l'enfant avec elle. Le bon moyen était de la mener à baptiser, non pas en rêve comme si ce devait être à grand souhait une habituée qu'on taillerait dans la forêt, non pas en officiel comme une marchandise qu'on va déclarer à l'Officier civil et on vous dit, après combien d'heures que tu attends en tournant ton chapeau dans tes mains, que celle-ci s'appellerait Cinna Chimène et puis voilà, mais bien comme une créature de Dieu qui prend sur son front et aussi sur ses yeux et sa bouche l'ondée du Seigneur. Éphraïse affirmait qu'Ozonzo pratiquait deux catégories de messes, une avec Cinna Chimène, une autre avec ce mulet, dans les deux cas des messes basses. C'était vrai que papa-mulet, tout aussi souvent qu'il contait à la fille, murmurait à la bête. Tant de fois avons-nous été pour le surprendre et enfin connaître ce qu'il racontait là pendant que le mulet secouait la tête pour dire oui oui oui. Jusqu'au jour où un averti (Alcindor, qui ne mangeait que des pattes de coq en fricassée) nous proclama de ne pas approcher, les enfants (qu'il fallait être en l'air comme une marmaille pour tenter un pareil travail, et que d'ailleurs le mulet nous sentait venir à tout coup et avertissait Ozonzo en sautant sur place), pour la raison que le parlant gravait dans la tête de la bête son nom secret. Nous devenions maigres et chauds, ah les enfants, de vouloir connaître ce nom secret. L'averti nous prévenait charitable que si le nom était prononcé au grand jour Ozonzo (ou la bête, c'était à choisir entre les deux) tomberait mort, et qu'au prix de ce silence sur son nommé le mulet resterait à perpétuité un bon serviteur pour son maître élu. Disant cela Alcindor tournait en rond sur lui-même à toute vitesse comme une toupie-mabial, puis s'abattait d'un coup sur la terre. Nous avions interrogé Cinna Chimène mais elle ne s'intéressait pas aux mystères des noms. Éphraïse prétendit tout laver dans l'eau du baptême. Elle avait pour Cinna Chimène débridé brin à brin le treillis d'osier de sa figure, on s'apercevait qu'elle pouvait respirer, ouvrir les yeux sur les branchages d'alentour, boire et manger, rester debout dans un coin à se reposer un moment. Tout le monde apprit à l'aimer, c'est-à-dire à savoir qu'on l'aimait depuis le fond du temps : c'était là l'ouvrage de Cinna Chimène. Éphraïse emmenait l'enfant vendre à la ronde, aux alentours de l'agglomération ou disons du bourg, les gombos et les massissis dont elle avait la charge. Ozonzo régentait le tabac, le caco et une maigre fourniture de cannes à la distillerie. Les livraisons suffisaient à peine pour le guano et les outils. Parfois les commis de l'Usine lui remettaient un papier : il devait toujours quelque chose. Pour les légumes, le problème était de ne pas en cultiver plus qu'il n'était nécessaire à la consommation et pour la vente à la criée ; cette case fonctionnait dans la hantise du surplus. Éphraïse emmenait donc Cinna Chimène, et sur les chemins il semblait que l'adulte devenait enfant, piaillant et riant droite sous sa charge, et que l'enfant soudain raisonnait et discutait en femme avisée. Ainsi allaient-elles à la rencontre l'une de l'autre. Les grands trays et les inépuisables paniers d'osier en équilibre sur leurs têtes faisaient une seule estrade mobile qui dansait et virevoltait en cadence, et par en bas les répliques fusaient, entrecoupées de longs silences quand la pente montait raide ou que des gens venaient à la rencontre des vendeuses, qu'il fallait saluer d'un bref et profond bonjour. Éphraïse rassasiait Cinna Chimène d'attentions et de petits cadeaux : du roucou et de l'indigo pour carder une pièce de madras, un peu de farine de France pour faire du pain ou des gâteaux, un gobelet en zinc qui avait une anse. Nous en étions moins jaloux qu'étonnés. Le mouvement des mains d'Éphraïse quand elle séparait les sous dans son mouchoir à quatre nœuds nous servait de référence pour évaluer la vitesse de toutes choses. Nous disions d'un quelqu'un qu'il était plus rapide que quatre sous d'Ozonzo séparés de seize sous d'Éphraïse. Elle n'offrait jamais de sucreries ni aucune sorte de douceurs, et nul n'en attendait d'elle. Nous savions qu'elle ne parlait à ses filles que pour commander au travail. Mais ce fut la même Éphraïse qui présida au baptême de Cinna Chimène, en assura la dépense. Le vicaire du curé de la paroisse, un jeune Canadien qui s'effarait – s'il ne s'effrayait – de ses ouailles, et qui sans doute se considérait aventuré en pays de Mission, consentit à baptiser Cinna Chimène un dimanche après-midi, tout de même que si elle eût été une enfant légitime. Éphraïse en fut contente, pour ce que ses propres descendants avaient été ondoyés un samedi après-midi, jour des illégitimes. La fille trouvée sanctionnait son ménage d'un double sacrement, jusque-là jugé inutile. Cinna Chimène se tint raide sous l'ondoiement, elle répondit elle-même aux questions pendant que deux voisins, choisis pour être parrain et marraine et à qui Éphraïse avait fait comprendre que cette désignation ne leur ménagerait aucun droit dans l'avenir, la regardaient effarés. Elle avait appris par cœur les répons latins. Ce fut donc une bonne journée de ripaille. La guerre de l'autre côté des eaux était terminée depuis quatre ou cinq ans et Ozonzo estimait qu'au fond ce Guillaume avait bien résisté. Un béké moins avisé que les autres réclamait la terre des Hauteurs où combien de familles étaient installées. Il ne savait peut-être pas que cette terre ne permettait aucune culture décidément profitable, ni qu'il fallait s'accrocher à quatre pattes pour la retourner. Un jeune, revenu de Panamá, qui agitait des idées d'aménagement. Éphraïse prétendit inscrire Cinna Chimène à l'instruction religieuse, en vue de la Communion. La nouvelle baptisée avait bien retenu les noms en oum, que nous lui demandions de déclamer quand nous attrapions des poissons de rivière et des écrevisses ; elle s'installait sur une grosse roche au milieu d'un bassin et criait sa magie d'Église pendant que nous barrions les trous d'eau pour installer nos carènes de grosse toile : les formules qui sait multipliaient nos prises ; et il fallait penser qu'elle retiendrait tout aussi carrément les litanies du catéchisme qu'on faisait apprendre aux habitants et qu'ils chahutaient à grosse voix en houant et sarclant. Oui. Mais Cinna Chimène disparut, on n'a jamais su si c'était pour fuir la cérémonie de Première Communion que tant d'enfants attendaient comme le temps bénit où on ne travaille guère et où la réjouissance est bonne, ou si c'était parce qu'elle avait à faire sur un autre versant de la vie. Elle plongea (comme par un appel des fonds et des tressaillements de la mer où un poisson-chambre pour elle naviguait toujours çà et là) au ventre inviolé de la forêt où son premier nom l'avait désignée pour tracer des clairières à tout coup repérables mais où pas un n'aurait songé à la chercher, à la pister comme un bestiau égaré (l'opinion étant qu'elle avait fui vers le bourg ou plus loin vers le chef-lieu) : découpant son chemin à travers l'énorme broussaille des fougères dressées dans leur ombre et nourries de pourritures violettes où tremblait souvent le sillon d'une bête-longue, pétrissant sa chair à même la terre noire qui grésillait sous les doigts, la tête nouée de cordes comme d'un matoutou géant guettant un rai de soleil pâle pour en engluer toutes choses, la voix coupée de ce silence d'abîme où les acajous multipliaient leurs soupentes, le corps peu à peu devenu indivisible de l'entrelacs de verdures où elle baignait, sa conscience plus dense et bredouillée que le réseau de lianes où elle racinait, les mots chavirés dans son cœur à grands balans pendant qu'elle dévalait les ravines bourrées de griffures molles, criant non suant en éclairs de sons dans sa tête et sur son corps le poids de bois de piquants de nuit où une balance d'avant-arrière la poussait (comme un grand conte pousse l'écoutant tremblant dans l'enclos des flambeaux) ; et elle courait en tous sens à travers sa peur et sa déraison jusqu'à justement cette première nuit : accorée à une portée de bois dont elle ne savait pas si c'était un gros arbre ou un bi de ténèbres, garrottée à la nuit comme un ballot de fibres flottant sur la tempête, et les rouleaux de branches déferlaient sur elle avec en fond de houle les hoquets sourds des milliers de bêtes et en crête de vague l'écume de leurs criquètements infinis ; elle, noyée vive au plus fond de cet entonnoir où presque elle étouffait : alors elle souffrit la première cassure dans la voix – non pas la voix qu'on lève à tout venant sans y penser mais la lame qu'on murmure dans la tête et qui retentit derrière le cœur avec le bruit d'une ravine qui débonde – et elle vit les mots défiler au-devant d'elle et la traverser, tout de même que si elle n'avait été qu'une véranda noire ouverte dans cette nuit : *Poussé Odono la bel-leté de la bête tu mas annoncié tifille tifille vini éti éti icite ou cé la bête qui a fait l'annoncement ille me froidit son boyau c'est la venir tifille tifille vini vini éti icite icite a la deshonoration Odono non non il est réfléchiment ou cé la bête.* Ainsi pour la première fois brisant en elle la barrière entre tant de mots différents contraires, elle défrichait la nuit : au matin (soudain un filet de jour était là clair à traîner comme de l'eau entre les voûtes des mahoganis) elle était prête pour cette vie d'animal à l'abri dans une population de feuilles, de mousses, de boues : elle enfonçait dans l'éponge gluante des débris, elle dévorait des pousses vertes apparues au cœur de crocs mauves terribles, elle buvait froid à la pointe d'une anse de feuilles bleues, elle s'éventait de tissus ocre de fougères, avec la sûreté de la jeune bête qui s'égaille dans son espace ; mais elle savait que son aisance était pour finir, qu'elle n'aurait su vivre très longtemps sous ces arbres, que ses mains ni son esprit n'auraient su maîtriser ces affaires de racines et de lianes brûlantes : ainsi, au midi où le soleil (sans apparaître plombant ce fonts baptismal) illumina de gouttes enflammées son corps raidi, elle pensa brusquement aux Nègres marron, décida de les chercher. Grise de terre, sa figure semblait un masque de carnaval. Elle tenta de s'orienter. Tout Nègre marron figurait pour elle un effaré, un perdu, la bête qui a quitté le troupeau et qui s'égare devant-derrière sans savoir où est la piste et où le commencement du repos. C'est aussi le frère de ta génitrice, celui qui pose la main sur ta tête et te regarde avec poids. Elle n'en rencontra pas un. L'espèce en était morte depuis longtemps et ne se trouvait plus que dans les bois de nos cerveaux. Cinna Chimène n'en était pas découragée. Tournant et retournant, elle buta presque sur une chose énorme, qui la regardait. Un mouton sauvage. Le corps roulait lisse avec des boules de poils gris qui pendaient en clochettes. La chair dure poussait entre les boules. Le front avait tellement buté dans les lianes et les souches qu'il était comme couronné d'un tronçon de corne. Ce carnaval sur pattes s'en alla, suivi du carnaval en masque. Ils traversèrent les profondeurs où c'était presque impossible de se couler, les bois clairs avec leurs colonnes de soleil où les mouches vertes sonnaient leurs cloches, les raziés bourrés de piquants (et parfois ils couraient au galop dans les clairières – les habituées – taillées dans les épaisseurs) et ils débouchèrent sur les traces ravinées entre les cannes, retrouvèrent les raziés, les bois – montant l'autre versant de ce fond comme s'ils n'avaient, la bête têtue et l'enfant courant, que ravalé de leurs corps l'anse énorme d'un vase – , jusqu'à cette place comme arrondie de nuit calme sans issue d'où le mouton disparut flap et où la fille vit devant elle, sécrété par les frissons d'air chaud qui coulaient dans cette profondeur de feuilles, l'homme à qui elle donna pour la première fois ce nom. Papa, chanta-t-elle. Papa Longoué, dit l'homme. Ils commencèrent ainsi la longue parole qu'ils défileraient d'année en année à travers tant de descendants de plus en plus ignorants des mots vrais et par quoi ils essaieraient, l'ennui des jours et la famine d'ignorance les ravageant, de savoir au moins pourquoi ils avalaient l'air de cet endroit, de cet endroit qui disparaissait si vite de leurs têtes et de leurs rêves pour se planter seulement dans la partie d'eux-mêmes où plus rien ne bougeait, tout a l'écart de la vie et de la plate chaux de la vie ; et pourquoi il fallait que dans le monde entier, avec tant de cris et de larmes qui dévalent en ravines (sans compter la misère et la terreur qui bourgeonnent sur les yeux sans qu'un pleurer soit possible, déracinent les corps et les os sans même une goutte de sang), il se soit trouvé un endroit (cet endroit) pour entasser non pas seulement (oui jadis) le sang et l'horreur déchiquetés qu'on fixe avec un tremblement mais depuis si longtemps des tas et des tas de jolis tarissements parmi les commodités de plus en plus pâles du jour qui passe, un endroit où tu te décatis avec plaisir dans les agréments de l'air que tu mâches comme mécanique, où tu ne sens même pas ton âme s'enfuir avec la terre d'alentour, où ta couleur s'évapore (les argiles de mouches sur ta peau, l'écume verte de tes bains, le sable égaré que pique la paille du toit à midi sur ta figure, la flanelle rougie de la lune sur ta main quand tu avances le bras contre la palissade mal équarrie de la pièce où tu es couché pour la nuit avec les sœurs et les cousins en tas), un endroit donc où tu te réveilles au matin sans reflet sur la peau, sans une lune sans un soleil, un endroit oui où rien n'éclate qui déchire le monde et lui parle par la blessure, mais d'où tout s'écoule avec l'irrémédiable égouttement d'une ponce qui s'effrite loin de la mer : ce qui fait qu'ils commencèrent (l'homme qui depuis des générations n'avait rien tenté autre que ce patient remplissage de mots même pas soutenu de l'espoir d'un débordement, l'enfant qui avait traîné son corps dans les bois avant de couler bientôt dans le renoncement où les grandes personnes se désoccupent) de se demander quel était ce monde entier dont ils se trouvaient si soigneusement tenus à l'écart et dont le remuement pourtant les soulageait parfois du feu mangeant d'alentour : imaginant au loin les pistes à chameaux, les oxydes d'usines, les croisées des villes, les entrailles de diamant dans la terre, les neiges des mines à ciel ouvert, les raquements des trains, les pèlerinages de pierre, les boues d'un Oubangui, les pétards de Chine, la pierre à fusil et tout le ceci-cela dont ils n'avaient pas science mais qui vivait en eux aussi fort qu'un bouillon de titiris dans un canari ; et se trompant mais avec la justesse et la précision du malfini au ras des vagues : pensant *la glace* c'est quand l'eau accouche une roche qui laboure ta chair, et *le vin* c'est quand la messe est à midi en plein soleil et te rend fou, et *l'été* c'est quand tu as tellement froid que ta peau fait des flammes, et *la grosse Bertha* c'est quand ta voix fait des trous dans l'avenir, et *l'empereur* c'est le grand-papa de tous les majors, et *un Italien* c'est un matelot qui rame par l'arrière dans une mandoline, et *la guerre* c'est le cyclone dont tu épluches le cœur, et *le transatlantique* c'est le bord de la rivière qui marche au même pas que toi, et *le pôle Nord* c'est la médaille transparente à l'endroit (et tu sais par conséquent quel est *le pôle Sud*) et *Paris* c'est un gâteau-coco bien découpé en tranches, et un *orang-outan* c'est un rateau à poux qui vole en feuilles, et *un rhinocéros* c'est Belzébuth qui fait le tremblement à pattes, et *un Anglais* c'est de l'autre côté du canal de Sainte-Lucie : ce qui fait qu'ils se parlèrent comme un clatac d'acacias dans le vent chaud, disant elle que son nom était Cinna Chimène qu'elle avait un Ozonzo qui avait un mulet sans marques, lui que son fils avait nourri un gros obus qu'il ramait dans un trou d'eau dans les Ardennes, elle que c'était quoi les Ardennes, lui que la terre est partout en gris que par ici c'est tout en rouge, elle que les mots précipitaient qu'ils se battaient l'un avec l'autre, lui que ses descendants allaient pour accrocher les mots sur les branches des chemins, elle que les mots de Farance entraient dans les mots d'ici pour les pousser loin de sa tête, lui que les mots en bouche étaient pour mourir qu'on ne trouverait bientôt plus que les mots traduits sur papier, elle que le baptême est tout avec des mots en bouche, lui que le baptême est un quatre-chemins pour les enfants grandis trop vite, elle que le nom du mulet d'Ozonzo était, lui que chaque nuit a son nom dans la procession du temps, elle que le nom du mulet, lui que non non laissez les noms de l'autre côté des eaux, elle que le poisson-chambre avait traversé les eaux, lui que ce que tu ne connais pas est plus grand que toi, elle que mais enfin il faut parler nommer crier rhéler pour les enfants qui vont partout sans un seul chemin, lui que c'était maintenant l'occasion de manger un bon bi de dachine ma chère. Cinna Chimène resta dans la case jusqu'à cette soirée où l'homme la fit asseoir sur un billot, lui installa sur les genoux une petite barrique à moitié défoncée, se retira derrière la porte, lui recommandant d'attendre la parole. Cinna Chimène laissa faire, elle n'avait peur de couac au monde. La case était une boule de nuit dans la nuit. L'enfant raide ne tressaillait pas. Elle avait établi que le meilleur était de n'avoir aucun bougement dans la cervelle. Elle devint peu à peu un pan de roche sur ce billot. Les mots commençaient d'apparaître. Elle rit doucement car elle comprit que c'était papa Longoué, à l'entrée de la case, qui les enfantait et les poussait vers elle comme des bouillons de rivière. *Ni tamanan dji konon Ni dji seri disi kan Ni temenan badji konon ni temenan kekodji konon.* Cinna Chimène pensa « c'est encore des mots venus de loin ». Elle pensa « c'est des mots qui étaient dans le poisson-chambre ». Elle pensa « par conséquent ce n'est pas des mots de Farance c'est des mots d'Ayiti là où poussait le jardin des deux frères ». Elle sentit les mots défiler dans la case où pourtant ses yeux ne voyaient qu'un caveau de noir. Elle se ramassa sur elle-même et s'efforça d'entendre la nuit : pratique dont elle découvrit là le secret et qu'elle devait enseigner à au moins une de ses descendantes. Le bruit de nuit était aussi raide que dans les bois perdus. *Tché min bé djiri la rêrê A la rêrê rêrê i ko kou A la rêrê comi tounoun guésélan.* Les mots épaississaient derrière elle dans le treillis chaulé du mur du fond. Elle choisit tétanisée de reprendre (de revivre) par le début son temps chez papa Longoué ; puisqu'il était évident qu'elle partirait le lendemain. Elle avait respiré là combien d'années. Elle évoqua cette barrique en ruine que papa Longoué avait coutume de déplacer d'un coin de la case à l'autre, selon une manière qui avait semblé fixe. Cinna Chimène pensait à la barrique comme à un butin très lointain, sans pouvoir sentir qu'elle en tenait le vieux bois entre ses mains. Elle revit la procession des consultants ; elle rit de leurs croyances, de leurs exigences sans fond ni mesure. Elle pensait « tout ça n'est pas plus à l'exact que le baptême de l'abbé Samuel ». Les mots entassés derrière elle bougeaient, recommençant là un combat qui s'était tenu dans plus d'une nuit de case au temps longtemps, et dont on ne déclarait nulle part qui était sorti Major de la Criée ou Capitaine de la Parole. Ce fut la deuxième rupture dans la voix de Cinna Chimène. Elle pensa « Éphraïse n'aurait rien compris ». Longoué à ce moment héla qu'elle n'avait donc peur de rien ? Elle tomba, les mots l'enveloppèrent, Longoué rentra dans la case disant qu'à présent elle avait changé de peau. Le lendemain, elle s'en alla. L'homme assis tranquille sur ce même billot la regarda partir. Il dit seulement que nous ne savions pas encore ce que nous, puis il fit un geste de la main vers les Hauts. Ce même jour, Cinna Chimène était de retour chez Ozonzo. C'était vraiment tout près, elle descendit sans se tromper. Ozonzo lui raconta comment il l'avait cherchée, jusque dans la jaquette de *Baron-Samedi,* le grand maître du pays d'Ayiti. Mais Cinna Chimène en savait peut-être plus que lui sur les mystères et les damnations. Elle ne suivit presque pas le défilé de mots qu'il déroula sur les divinités, *Dambala* « qui tourne autour de la case comme un anneau de communion », *Ogoun* « qui a coupé trois mille trois têtes d'un seul han », *Legba* « qui a créé les soixante-quatre directions » et toutes les puissances « que vous portraitez avec la farine sur le perron de vos maisons ». Ozonzo dit que même il avait fait le voyage d'Ayiti, ce qui était vantardise pleine de feuilles. Tout au plus avait-il visité son quimboiseur patenté, un prétendu qui n'avait rien vu de l'au-delà-des-eaux et à qui papa Longoué avait prédit qu'il se retrouverait un jour la tête à l'envers. Tout au plus avait-il amarré un ou deux de ces paquets-chargés qu'on appelait parfois encore des mackandales (ou macandals ou maquendales, selon ce que ta main t'aurait porté à écrire si tu avais connu le maniement de plume), du nom de ce maître-des-herbes-d'Haïti qui se transforma sur son bûcher de condamné en autant de bêtes qu'il y eut d'assistants à son supplice et par conséquent de témoignages sur son pouvoir. Mais bien entendu Ozonzo ne prononça pas le nom. Arrivé à cet endroit de son compte rendu il désarticula quelques zo ho zon ho zo que Cinna Chimène sembla comprendre. Nous aurions cru être revenus au soir de la découverte, et Pythagore en eut comme un éblouissement. Éphraïse Anathème chanta que Cinna Chimène avait maigri beaucoup. C'était un plaisir de se saluer en détournant les bois pour descendre près des cacos. « Bien le bonjour – Comment ça va – Tout douce merci. » Cette chaleur était légère, où les soucis vous enveloppaient d'un linge de boue séchée. Nous arrêtions parfois de bouger, sans connaître ce qui nous arrêtait. Nous méditions les coups de sirène profonds et lourds de ces bateaux que nous ne pouvions pas voir ni même imaginer vraiment. À la fin Cinna Chimène se mit avec Pythagore. Il lui avait raconté que le conte d'Ozonzo était le déguisement d'une histoire plus ancienne. Ayiti n'était pas la terre première ; cette terre où, dit-il, tous les gens étaient Odono. Cinna Chimène demanda quelle terre, il répondit la Guinée le Congo. Cinna Chimène demanda quel Odono, il répondit Odono que je ne sais pas. Ils allaient à l'ordinaire et sans se cacher sous les cacos – et Ozonzo en fut attristé. Éphraïse conçut fort bien la chose, elle affirmait attendre un petit-fils. Une fille, dit Cinna Chimène, ce sera la Négresse des Négresses. Marie, dit-elle, ce sera la Marie des Négresses. Un garçon, dit Pythagore, Éphraïse a pris tous les corps de femme. « Il y a trop de femmes dans Éphraïse déjà. » Éphraïse riait, disant vous n'avez pas fini avec les femmes. Cinna Chimène et Pythagore s'installèrent dans une case sur la hauteur. Il y eut un coup de main pour aider à bâtir la case et débroussailler alentour. On calculait que L'Habituée portait à peu près quinze ans. Un jour que nous étions, et ces deux-là aussi, en assemblée devant chez Ozonzo et que la plaisanterie était belle (Alcindor badinait avec le maître de maison, lui criant qu'il n'aurait plus de conte à raconter, qu'il n'attachait plus son pantalon avec une corde mais nouait une barbouquette à son nombril, qu'il avait choisi cette nouvelle manière pour se dédommager de la barbouquette qu'il n'avait jamais osé bâter au dos de ce mulet, qu'il aurait bien aimé lui Alcindor être un mulet sans marques dans un bon enclos et qui n'a rien à faire de toute la journée que d'entendre des mots doux à ton oreille, qu'on ne pouvait pas dire qu'on voyait souvent ces deux-là et que bientôt L'Habituée serait pour tout de bon L'Arrondie, qu'il avait fini par croire qu'Éphraïse était qui l'eût dit une on ne peut plus chrétienne et qu'il l'avait lui Alcindor atoutcoupment vu ou entendu (il ne savait plus) rire ou au moins sourire ou peut-être grimacer au dernier samedi, qu'il en était lui Alcindor resté saisi comme un immobilier après une faillite), papa-mulet, pour célébrer cette grande joie et sans autre raison apparente, cria soudain : *Mackandal, Mackandal !* Ce mulet-là courut d'un long trot et en passant défonça la poitrine ou peut-être le cou d'Ozonzo. C'est ainsi que parut le nom secret. Éphraïse Anathème regarda la bête entre les deux yeux puis se courba en un salut qui laissait le passage libre. Le mulet s'en alla pour toujours. Pas un ne pleura, tous étaient concentrés. Les majors vagabonds du quartier soutinrent la veillée d'Ozonzo jusqu'à dix heures du matin. « C'est à présent un Nègre défistolé », disaient-ils en riant. Le jour de l'enterrement, après la descente en hamac et la mise en bière, Alcindor tourna sur lui-même en toupie-à-clou et se jeta sous les pas du vicaire, comme un bedeau saoul. « Il faut silence sur le nommé, criait-il, il faut silence sur le nommé ! » Nous ne savons même plus en quelle année c'était.

Contes de la foi qui sauve

Augustus Celat savait regarder dans la nuit. Nous étions dans l'œil d'Augustus, et toute la terre avec. Son œil fixe et fragile, d'une coriace patience à surprendre l'insaisissable. Il observait passer tour à tour les deux hommes blêmes, dans une sorte de carnaval, l'un poursuivant l'autre, ayant tous deux la même destination et devant eux le même échec. Ils s'efforçaient après un songe, où nous ne voyions qu'une fille de béké, qui les terrifiait d'être si consentant et si doux. Ils s'épuisaient tant que leurs bêtes à couper les chemins et les traces, poussés à des rendez-vous d'où ils revenaient comblés et désespérés. Augustus était le seul qui pût à peu près comprendre. Nous – la part en surface – étions toujours à nous moquer de ce ménage à trois. Nous – cassés dans l'œil d'Augustus – étions bien pour estimer ce malheur. Et de même qu'il parvint de manière inimaginable à tout recomposer de cette querelle, de même nous en savions le dessous ; mais à l'écume des mots nous abandonnions le souci de ce savoir. Et la jeune femme fut la seule de sa sorte à deviner les pouvoirs d'Augustus, et qu'un Nègre, peut-être né esclave, pût saisir du bord des champs où il sarclait ou du haut des charrettes qu'il conduisait à l'usine cela qui par définition lui était non pas seulement étranger mais comme inconcevable : l'affolement de vie d'une jeune béké qui étouffait de la crainte de n'être pas aimée, et qui pour cela même ne pouvait aimer personne. Augustus et elle savaient bien qu'aucune force déguisée ne le poussait à observer si profondément dans ce qu'elle aurait appelé son âme. Pas une fois il ne la considéra comme l'inabordable dont il eût rêvé ; et elle non plus. Leurs relations n'étaient ni d'âme ni de corps ; tout simplement ils se trouvaient seuls chacun dans son monde : Augustus parce qu'il voyait ce qui à tout coup nous échappait (nous suivions le fil de son regard et stupéfaits nous éventions que les choses nous parlaient) et la fille, parce que son exigence était la plus criante des folies dans un monde où ses pareils étaient si pleins de la volupté de vivre. Mais Augustus souriait sans faiblir, et comme elle lui rabâchait chaque jour « Pour quelle cause démoniaque souris-tu ainsi macaque », il le lui dit : qu'elle croyait planer loin au-dessus de ses semblables les Blancs mais qu'au fond du fond elle n'était qu'une portée de tamarins qui a suri ; et qu'elle faisait la pêche dans sa propre nasse mais que sa rivière était sans fond et sans bordure. Elle rit à en attraper mal au ventre. Il restait là paisible et souriant. Il lui dit qu'amour était maladie de Blancs, elle répondit qu'amour n'existait, qu'il n'y avait qu'un grand damier pour les gagnants et les perdants à tout jamais mêlés. Bien entendu les paroles n'étaient pas aussi pesantes. Les mots volaient à la surface d'on ne savait quelle unie volonté de ne jamais rien croire de sérieux. « Ne soyons pas trop philosophes pour ce que nous avons d'étoffe », proposait-elle, et Augustus à son tour, quand il exigeait que nous abattions une forte ouvrage, criait : « Atansion, zot sav musieu Gontran vlé an travay filosof. » Mais il cessa peu à peu de la fréquenter ; nous devinions que ce n'était pas à cause d'Adoline la fille d'Euloge Alfonsine. Il y avait entre Euloge et Augustus un rapport qui tombait de loin. Nous ne pouvions comprendre comment Euloge en était venu à commander dans les champs. Augustus comprenait. Euloge avait une machine dans le ventre qui le faisait blanchir chaque fois que quelqu'un s'opposait à lui ou tout bonnement mettait un peu de désordre alentour. Euloge était marqué pour mettre de l'ordre, à grands coups de bras et de rage sans paroles. Il portait dans son corps une saccade de gestes toujours sur le point de déborder. Les yeux d'Euloge pâlissaient à chaque tournant des mots. « Né esclave », sa rage s'était tournée contre ceux qui partageaient sa géhenne. Ainsi devint-il le premier commandeur nègre, et qui eut charge de répartir, sur les énormes balances aux plateaux en forme de losange enfoui ou de pyramide renversée, les rations de manioc, de viande salée ou de sucre noir. Quand il fut bruit d'abolition et que les ateliers commencèrent de bouger, Euloge Alfonsine disparut dans les bois. Pas un ne pensa qu'il avait eu peur. Pendant des années il avait distribué aux cases les chiches quantités de vivres, trichant exprès sur les portions et regardant chacun des hommes en file avec une fixité exaspérée. Nous supposions qu'il appelait ainsi un geste, que nous ne faisions pas ; Euloge méprisait ses semblables. Aussi l'habitude lui vint-elle de commander, pour le compte des Blancs. Dès avant l'abolition il avait tenu boutique de commandeur. Ce fut donc sur cette case qu'on afficha la proclamation qui appelait à la liberté, c'est-à-dire à la patience, à l'amour de la famille et à la vénération des maîtres. Mais Euloge n'était pas avec nous devant la case pour entendre déclamer ce discours. Lui que nous avions appelé Euloge la couleur, parce que nous rapportions ses fonctions de commandeur au statut de ces Nègres qui s'étaient ou plutôt avaient été libérés de l'esclavage, les hommes de couleur libres, et qui possédaient et maltraitaient des gens, et qui s'échinaient à la conquête de choses que nous ne pouvions pas même concevoir, « l'égalité des droits », « la représentation politique », dont nous nous emplissions la bouche tout pour rire, mais dont nous serions bientôt emportés par les incompréhensibles mécanismes, il apparut en ce moment qu'il refusait ces simagrées ; que ce refus l'avait rejeté pire qu'un Nègre marron dans ces bois qu'il n'avait jamais eu la tentation d'explorer pendant toutes ces années où il s'était bâti son personnage de commandeur. Et il redescendit des bois avec la femme sans nom sa compagne et Adoline Alfonsine sa descendante. Et pour bien montrer qu'il ne souscrivait en rien à ces histoires d'abolition, il publia partout qu'Adoline était née *la veille* de la proclamation, ce que nous avons cru de confiance quoique nous eussions été incapables de dire quelle avait été au juste cette date, quel ce nouveau jour. Ensuite nous quittâmes la terre. On en prit une partie pour nous la distribuer mais les maîtres la rachetaient au fur et à mesure, pour presque rien. Accumulées les énormes indemnités auxquelles ils avaient eu droit, ils récupéraient le terrain, faisaient entrer dans le pays des cargaisons d'Hindous pour nous remplacer dans les champs. Euloge aidait les maîtres, sans mesure. Il criait que ce n'était pas vrai, que nous n'avions pas combattu pour mériter notre nouveau lot ; et quand on lui racontait comment un atelier avait entouré sans une seule arme le corps de la Milice et obligé les soldats à se rendre, comment la grande ville là-bas au pied du volcan avait été balayée du seul grand vent des Nègres, quand on lui montrait les estropiés, il s'entêtait seulement à répéter : Sa pa vré, sa pa vré. La case du commandeur était le centre de l'Habitation, au quartier Grand Congo. C'est au soleil tombant que se situait la Petite Guinée, où Augustus Celat était venu au jour, deux ans après les événements. Euloge parlait d'Augustus avec mépris, disant qu'il était un yiche-labolision. Mais c'était là une animosité sans grande conséquence, qui n'empêcha pas qu'Adoline et Augustus se fréquentent au moment dit. Nous connaissions ce qu'était l'ascendance d'Augustus, d'où lui venaient ses yeux pour voir au loin, aussi disions-nous tranquilles que la descendante du commandeur avait grippé le petit-fils du quimboiseur. Augustus cessa donc de rencontrer la fille du béké ; nous en fûmes comme soulagés. Elle disparut dans la Grande Maison, et pas une servante ni un cocher n'acceptèrent de nous dire ce qu'elle était devenue, ni si ses deux prétendants (que nous ne voyions plus galoper par les traces comme des dératés) avaient choisi de jouer l'affaire à l'écarté ou au pistolet. Il semble qu'elle ait déclamé un soir devant toute la famille atterrée : « Le serviteur a commandé l'éclipse et l'empereur a ordonné l'apocalypse », puis qu'elle se soit retirée dans un galetas. Tout recommença comme avant, à supposer que nous ayons pu choisir entre un avant et un après. Peut-être même que nous comprenions ce bloc sans rémission que faisaient l'avant-après réunis indistincts, rien qu'à écouter par exemple la compagne d'Euloge qui était aussi la manman d'Adoline. Depuis toujours nous l'avions entendue enrouler ses paroles sans une interruption, ne laissant à personne le loisir de répondre aux questions qu'elle posait, et laçant ainsi un plein de mots sans faiblesse ; ce qui fait que nous prétendions n'avoir jamais eu le temps de lui demander son nom. L'absence de nom (l'absence pour nous) ne l'enfonçait pas dans un néant impersonnel mais au contraire l'emplissait (à nos yeux) d'une densité pleine de nuit. Peut-être nous apprenait-elle cette vérité qui valait pour tous : que nous n'étions pas inclinés aux conversations savantes, ce que la fille du béké eût appelé des dialogues, mais que nous courions à travers une seule parole d'un seul balan portée, dont le beau consistait à rompre parfois le tissu, à carder sur cette trame les mots que nous aimions, cassés de jaune safran, de bleu indigo ou de rouge pétant comme un roucou frais. Et puis nous nous aperçûmes que cette personne sans nom (c'est-à-dire, dont nous n'avions jamais trouvé dans les paroles la petite ravine de silence que nous eussions pu remonter pour avoir l'occasion de lui demander son nom) depuis la naissance d'Adoline parlait au temps passé, quoi qu'elle ait eu à dire. Ou té lé dlo, questionnait-elle, droite devant vous, agitant au-dessus de la barrique la grande louche de bois suspendue à une liane. Puis elle vous servait, sans arrêter de dire que l'eau *était* ou plutôt *avait été* plus douce que le rhum, que vous *aviez été* maintenant bien désaltéré, et ainsi à l'infini. Le madras des mots était tissé au passé. La litanie nous tombait dessus, comme actionnée par une pompe installée dans hier ou dans tout-à-l'heure-là. Ces passés rivés dans l'instant présent (et dont nous n'avions pas encore appris qu'ils pouvaient être simples ou composés) nous confirmaient qu'il était inutile de chercher l'origine de cette femme sans nom ; qu'il y avait des prédestinées apparues aux lisières de la nuit et qu'il fallait écouter sans fin pendant qu'elles vous expliquaient le maintenant avec les mots du jadis. Seul Augustus entrait sans hésiter dans ce retournement du temps, de même qu'il pénétrait la passion de commander qui grandissait dans Euloge. C'était une affaire entre eux. Il passait au quartier Grand Congo une rivière si coulante qu'elle en paraissait bleue. On y avait aménagé deux sortes de bassins, le premier pour les bêtes, mulets, chevaux, taureaux et zébus, l'autre pour la lessive et l'eau de consommation. Le quartier Petite Guinée, là tout près, tarissait autour de quelques mares jaunies où il fallait écarter les crapauds et les grands palétuviers pour emplir les couis dont les glouglous faisaient remonter des bulles soufrées. Euloge criait à Adoline qu'elle était débornée de préférer ainsi l'eau dormante à l'eau courante. Mais Augustus avait déjà fait sa déclaration, une seule pour toutes les fois qu'il faudrait, et (nous en savions les détails on dirait par les feuillages des tamarins d'alentour) voici comment. Il était assis devant elle, les yeux baissés, sans doute parce qu'il savait que nous souffrions tous de rencontrer ce coup d'œil fixe qu'il projetait au-devant de lui comme un coutelas à l'équerre, et il parlait d'une voix juste assez forte pour que les deux ou trois arbres alentour en aient leur part. Disant que : « L'homme qui conduit la charrette, si la charrette est vide, il écrase les chiens errants. Il fait courir, pour écraser les chiens. Il ne sait pas le pourquoi, c'est parce que depuis si longtemps les chiens ont couru les bois pour nous rattraper. La femme qui est née dans les bois descend dans les carrés de cannes pour propager sa force à l'homme. Quand un frère a dénaturé son frère, c'est pour les grâces de sa bien-aimée. Celui qui a vendu son frère a arpenté lui aussi la fosse sous l'Océan. Celui qui est vendu a bu l'eau de la mare. Il entend une voix qui lui dit : " Va, Odono, ta racine est pour pousser de l'autre côté des eaux salées. " Il entend la voix qui lui dit : " Va, Odono, le frère qui a trahi sera vendu dans le même bateau. " Il entend la voix qui lui dit : " Défense de mourir dans le grand bateau, le grand bateau est le plus grand poisson, il a engendré ta descendance. " Alors nous avons battu les bois ici derrière trois mangoustes. Les chiens ont sauté par-dessus les acacias pour nous décaler. La femme donne la force à l'homme. Ils soupirent comme un bateau est en même temps un poisson en même temps une chambre, encore qu'ils n'ont jamais vu grossir dans la case ce qu'on appelle une chambre. La surface des eaux va pour s'ouvrir et déboucher la couche. Nous sommes détombés ici, et nous avons cassé le plat des eaux. Vous et moi mademoiselle dans la rivière. » On racontait comment ils étaient restés assis sans plus se chercher, comment Adoline avait pénétré la parole et accepté l'offrande. Les terres du béké s'étaient à nouveau étendues, les ravines de boue entre les cannes étaient devenues des traces bien à l'aise pour les charrettes, les grands taureaux en rage étaient convoyés de Bogotá ou de nous ne savions quel pays, Augustus vivait comme l'un quelconque de nous, riant à la paye du samedi devant la case d'Euloge, tombant avec nous dans la nasse des jours qui passent sans dépasser. Adoline Alfonsine fréquentait surtout les coulis rassemblés en contrebas de ce qui devenait le bourg. Elle était acceptée à leurs cérémonies ; elle nous rapportait comment le prêtre purifié par le jeûne marchait sur le fil du même coutelas qui coupait ensuite d'un seul coup – sinon, la purification avait été imparfaite – les têtes des moutons du sacrifice. Nous l'appelions manzè Couli et parfois manzè Colombo. Augustus riait, prétendant : Vous ne savez pas contempler la cérémonie. Que nous étions là bien à genoux dans les chapelles, que nous tenions à bout de bras nos cierges de suif plus allongés que des brides à frein, que nous nous levions et que nous nous délevions à mesure sous la voix du chanoine ou de l'archiprêtre, mais que nous ne savions pas ce que c'est qu'une cérémonie. Il criait Odono n'est pas avec vous ; chaque fois qu'il prononçait ce mot, dont nous supposions qu'il désignait une puissance ou un gros arbre ou une rivière dans un débit de roches, Adoline restait fixe et le regardait avec poids. Vous ne savez pas comment marche une cérémonie. Jusqu'à la fin (quand il disparut de la ravine en débordement alors qu'il la traversait en portant deux moutons égarés sur ses épaules) Augustus nous poursuivit de son reproche. Il n'y a pas que la foi qui sauve. Genou cassé n'est pas dans l'âme. Man Sosso n'a pas mangé Bon Dieu. Et si nous faisions un grand désordre pour obtenir qu'il nous conte (encorencore) cette histoire de man Sasso, il la savourait devant nous dans un accompagnement de gestes, de bruit et de silence bien rythmés. Man Sosso avait quitté le Grand Congo juste après les incendies qu'on avait allumés en l'honneur du premier Guillaume, celui dont on disait qu'il avait pris Paris et qu'il allait libérer les Nègres ; elle s'était effrayée de tant de gens qui ravageaient la terre. Elle qui avait nourri, soigné tant d'enfants de békés, sans compter les vieux impotents dans leurs berceuses sous les vérandas, oui elle avait vu des coupeurs de cannes hacher en viande salée un géreur blanc dans un champ, atteler un colon à une charrue, brûler les hangars à guano, envahir le bourg et obliger les mulâtres à crier : Vive la Guinée vive le Congo ! Elle n'avait pu supporter ces vagabonderies et s'était retirée dans un autre bourg, en un endroit où il était à peu près impossible d'arriver, sinon par acharnement et arrachement des pieds. Elle avait vécu là, pour ainsi dire de la bonté publique, dans un petit débarras de bois de caisses au plat de terre noire bien battue, tout au fond d'une cour. La messe basse chaque matin, la grand-messe le dimanche, les vêpres, les retraites, les processions de tabernacle en tabernacle l'occupaient. Son tourment était de ne jamais faire offrande à la quête de la grand-messe. Elle entendait les pièces tomber dans le petit reposoir en velours bleu sombre qu'une Sœur de la Congrégation passait sous le nez des fidèles. Elle suivait avec angoisse la progression de la Sœur, entendait gronder dans son cœur le bruit de plus en plus proche des monnaies, baissait la tête avec humilité quand la main tendue exhaussant la bourse de velours passait à hauteur de son rang. La Sœur était parfois remplacée par un bedeau qui faisait résonner tous les trois pas sa hallebarde sur le pavé de la chapelle. Habituée aux Blancs, man Sosso préférait de beaucoup le pincement des lèvres de la religieuse, qu'elle devinait, au lourd regard de ce satan nègre, qu'elle sentait tomber sur elle du haut de la fourche dorée. Puis il y avait le délicieux moment d'approcher la Sainte Table et de recevoir le Dieu vivant. Man Sosso passait ainsi du tourment de la quête au ravissement de la Communion. Le curé, qui pétrissait lui-même ses hosties, avait tendance à penser, sans bien se l'avouer, que man Sosso consommait beaucoup de sa précieuse farine, et peut-être qu'il la bousculait un peu au moment de la sacrée consommation. Jusqu'au jour où un neveu de passage (nous hasardions que ce pouvait être Augustus, que man Sosso en réalité s'appelait Sosthénie Celat : mais Augustus ne criait aucune information sur cet aspect des choses) donna (offrit, voua, déposa en offrande, ou toute autre forme de miracle que vous voudrez) à man Sosso une pièce de cinq sous. Affolée à l'idée de la prochaine quête et du délice de ce premier geste par quoi elle rattraperait tant d'immobilités passées, elle courut acheter un sou de commissions à la boutique de l'endroit. Et comme on ne la connaissait pas, tout autant qu'elle ne connaissait rien aux monnaies qui circulaient, on lui remit deux pièces d'un sou et une de ces grosses pièces de deux sous, en cuivre ou laiton, qui n'avaient plus cours et qui vous donnaient si lourdement l'impression d'une richesse patente. Sosso fit une toilette spéciale, choisit la grosse pièce de deux sous qu'elle serra dans un coin de sa longue robe de madras (le seul vrai bien qu'elle possédât) et guetta cette fameuse bourse de velours. La sœur préparait déjà son pincement de lèvres quand elle vit, trois rangs devant son tour, la main tendue de man Sosso et le sourire d'extase qui la prolongeait. La grosse pièce tomba dans le tas avec un écho de tambour qui fit sursauter l'assemblée mais qui bruissa dans le cœur de man Sosso comme la clarine cotonnée de l'Ange. Elle vit que la bourse n'était pas sombre mais bleu ciel. Elle se prostra sur son banc pour échapper au péché d'orgueil. Le prêtre avait remarqué ce manège, aussi n'eut-il pas un clin d'hésitation quand, de retour à la sacristie et empilant en rouleaux l'argent de la quête, il buta sur la grosse pièce hors d'usage. « Man Sosso m'a établi ministre des Antiquités », dit-il à la sœur. Et à l'autre dimanche, quand, après avoir offert l'un des deux sous qui lui restaient, man Sosso se présenta l'âme en fête à la Sainte Table, le curé choisit pour elle une hostie spéciale qu'il avait façonnée autour de l'énorme monnaie. Deux heures après la fin de la messe, revenant pour préparer les vêpres, il trouva man Sosso, toujours agenouillée à son banc, qui essayait avec précaution d'avaler l'hostie qui résistait. « Mon pè, dit-elle, man pas sav sa ki rivé, ni an péshé man pa confésé, i la an goje moin, bon dié-a pa lé désann. » « Sosso ma chère, dit-il, i ti ni katt pott solennelles au grand marché, je n'ai pu l'y faire passer, cé pas dans ta gorge qu'il va maintenant descendre. » Ce jour-là man Sosso n'a pas mangé Bon Dieu. Augustus ajoutait : « Vous ne savez rien de la cérémonie. Je vais pour connaître un jour une descendante qui saura. Une madame qui va comprendre comment la terre a marié les eaux profondes, et où habitent les pays qui nous parlent dans l'espace, et pourquoi nous marchons sur la catastrophe, et quand à quel moment dans quelle année nous allons pour commencer à compter nos années. » Tout le monde riait, chantait en cadence : « Où, Quand, Comment, Pourquoi ! » Et à propos de cérémonie, on raconta un jour qu'Augustus avait dégagé la fille du béké, une vieille femme avant l'âge. Il l'avait donc rencontrée à nouveau. On l'avait vue debout en robe de nuit dans une des mares de la Petite Guinée, elle tenait par les ailes un pigeon blanc qu'elle frottait sur son corps, Augustus du bord de la mare lui dictait les paroles et commandait les gestes. Augustus, tu as rencontré « encore » la fille du béké ? « Soyez exorables, priait-il, la douleur ne prend pas par un seul chemin. » Mais Adoline, à mesure qu'Augustus entrait ainsi dans la plaisanterie de son art et la divulgation de ses puissances – peut-être parce qu'il estimait que c'était la meilleure manière de nous enseigner, peut-être parce qu'il essayait ainsi de cacher un plus grand tourment –, pensait qu'il se dérespectait et trahissait Odono. Odono, quel Odono ? Sans doute en parlait-elle au passé avec la compagne d'Euloge. Et aussi de l'apparition des femmes, comme pétries dans la nuit des bois, qui n'avaient jamais le droit de pratiquer les Puissances mais supportaient tout de l'ignorance d'alentour. Et Adoline, au moment où elle accoucha de cette boule qui allait devenir celui qu'on appellerait Ozonzo, éclata d'une embellie de rire et d'éclat surnaturels, la première et la dernière criée de joie qu'elle montra jamais, et chanta tout à la ronde : « Augustus, Augustus, la désandante sé an gason, i ron kon an koui kako. » Augustus répondit pendant les années qui suivirent qu'au même moment, quelque part dans l'alentour, il était né un complément pour la boule ; que la descendante viendrait un jour. Et nous savions (car il paraît bien qu'en ce temps-là nous trouvions moyen de deviner l'impénétrable) que ce complément était la *figure maigre,* Éphraïse Anathème. Odono, quel Odono ? Tout cela s'était comme alenti dans une seule journée de soleil, entre le jour inconnu dont on datait l'abolition et cet autre jour de cendres qui avait tremblé de l'éruption de la montagne. Entre ce qu'ils appelleraient la libération de 1848 et ce qui serait la catastrophe de 1902. Ces dates ne voulaient rien dire. Adoline avait crié là dans les bois. Pythagore Celat monterait en ce jour d'avenir (et de mort) avec le feu du volcan. Mais les chaudières des usines n'avaient pas bougé. La canne BH 12 donnait toujours les meilleurs rendements. Euloge était toujours commandeur. Il n'était pas vieux, Euloge, il s'était seulement décrépi sous ses cheveux gris. Il se passionnait maintenant pour les combats d'élection qui opposaient les grands békés aux mulâtres. Les mulâtres le laissaient fixe d'admiration. C'étaient des Nègres qui brodaient sur toutes choses, le mobilier du salon, la langue, les gestes, la couleur de la peau, la manière de manger. Euloge, Euloge, tu crois donc aujourd'hui à ces simagrées ? Il passait et repassait devant une maison du bourg à l'intérieur de laquelle il tressaillait de deviner l'éclat d'un grand miroir festonné de dorures, aux encoignures entrelacées. La femme sans nom disait que chaque glace *avait été* la surface des eaux, et que cette glace-ci *avait été* la plus profonde. Les mulâtres de la maison connaissaient ce caprice d'Euloge, ils laissaient la porte du salon ouverte et faisaient semblant de ne pas le voir passer pour la énième fois. C'était sa promenade du dimanche, sa Savane, sa Jetée, son Allée des Flamboyants. Euloge la couleur. La seule cérémonie qui pût le distraire de son pèlerinage était celle des enterrements, pour lesquels il tenait prêt un complet d'alpaga blanc, tout aussi que des chaussures à pointe, un chapeau de grande boutique, une lavallière. Le béké de l'Usine, accompagné d'un visiteur américain qui sautait autour de tous, rencontra Euloge à un de ces enterrements. Ce béké venait volontiers assister ses travailleurs à leurs derniers moments, et il avait convié l'Américain à cette curiosité. « Euloge, dit-il, comme te voilà élégant avec ton costume et ton chapeau si crânement mis de côté. » Et en parlant il se tournait avec complaisance vers le visiteur. Et Euloge, regardant tout au loin quelque chose que ni le béké ni le voyageur ne pouvaient voir, répondait avec cette lenteur qu'il mettait désormais dans ses mouvements et ses mots, pour atténuer à la fin sa fièvre de bouger : « Ah mussieu Egène, ou ni rézon fè moin compliman, chapo ta-a, dépi sinkantan man ka travay ba-ou, sé sel bitin man rivé mété du coté. » Et le méricain excité balbutiait : « Que dit-il, que dit-il ? » Alors le colon bon enfant traduisait : « Il dit que depuis cinquante ans qu'il travaille pour moi, ce chapeau est tout ce qu'il a pu mettre de côté. » Ils s'émerveillaient de tant de finesse, l'Américain prenait des notes sur un carnet relié de gros cuir. Ils tournaient autour d'Euloge immobile, continuaient vers d'autres découvertes. Odono, quel Odono ? Ces gens des bourgs n'étaient-ils pas nés d'eux-mêmes, peut-être de quelque prince caraïbe, ou d'un marquis breton venu incognito ? N'allaient-ils pas bientôt être députés ? Augustus disait : À quoi bon regarder dans la nuit si tu ne sais pas regarder dans un salon ? Adoline et sa mère la femme sans nom étaient les seules à attendre nous ne savions quoi. Et un jour, comme un fait exprès, ils furent tous pris dans ce bourg par un cyclone qu'on avait à peine eu le temps de voir grossir. La nuit était tombée comme une roche, vers dix heures du matin. Impossible de regagner les quartiers, tant pis pour le Congo et la Guinée, ils se réfugièrent dans la grande chapelle qui était presque une église à présent. À mesure que le vent charroyait les maisons les habitants refluaient vers cet asile. Les propriétaires du miroir furent des derniers à abandonner leurs biens ; la grand-mère de la maison avant de partir avait fait son lit, bordant avec soin entre deux matelas ce miroir à dorures. Les enfants dans l'église voulaient à tout moment passer la tête pour voir tournoyer les toitures et les arbres. Soudain les enfants de cette maison crièrent : « Grand-mère, grand-mère, regarde ton lit qui vole. » C'était à peu près cinq heures de l'après-midi, dans la demi-nuit limaillée d'éclairs. Et à travers les vitraux cassés de l'église, où le vent s'engouffrait en soufflant comme un bambou accompagné d'un bon tambour, ils virent tous en effet le lit qui planait, montant et descendant, tournant et détournant comme un cerf-volant, et qui plongeait au loin. Les habitants du bourg crièrent que si le toit de cette maison avait valsé, c'est qu'alors tous les toits dansaient la ronde aux alentours. Ils levèrent les yeux vers le plafonnage de l'église, priant en chœur qu'il ne rejoignît pas les cieux. Et le lendemain, dans ce qu'on aurait pu appeler le matin, quand le vent et la pluie d'un coup s'en allèrent, que la procession quitta sa prière et courut dans les décombres et la boue pour soupeser le désastre, ils se retrouvèrent quelques-uns, comme un fait exprès, ceux du bourg et ceux des quartiers, réunis sous un perron de la gendarmerie autour du lit volant, encore bien fait avec son édredon bien pris, à peine un peu mouillé, comme s'il avait passé entre les gouttes furieuses et les lianes d'eau avant d'atterrir là en douceur. La grand-mère souleva le premier matelas, ils sortirent au jour la grande glace dorée que dans cette famille on avait baptisée le miroir de salon. (Ils : nous tous, éparpillés par la cendre de cette eau, chacun peut-être renfermé dans son dommage – les enfants effarés du tournis de boue, de tôles cassées, de bêtes éventrées dans quoi ils roulaient sans retenue ni brimades –, enclos dans la parenthèse du cyclone comme dans une case pas finie dont on ne saurait sortir, et en même temps rapprochés par la commune excitation de malheur, par la seule énorme cérémonie que ce vent avait enroulée là pour remplacer celles qu'Augustus nous avait déniées, en même temps abasourdis de ce gros œil du vent qui savait pointer dans la nuit tout autant que l'œil d'Augustus et nous montrer ce que nous n'apprenions pas à voir jour après jour.) La glace intacte brûlait de la vie de ce soleil mouillé. La femme sans nom chanta ce qu'on eût pu traduire ainsi pour le méricain : « Vous aviez sorti la glace de la couche. La surface des eaux n'était pas cassée. Elle avait éclairé dans cette journée après la tempête. » Augustus, appuyé à une des balustrades, regardait la femme ; « même si, répétait-il, même si ». Adoline Alfonsine reprenait comme un cantique : « Elle avait éclairé dans cette journée. La surface des eaux n'était pas cassée. » Il n'est pas étonnant qu'après ce cyclone (dit « de la glace miraculée ») Adoline ait semblé se détacher d'elle-même. Elle avait vu trop de vent dans trop d'eau. Elle ne supporta plus de vivre à la Petite Guinée : croyant à tout moment entendre enfler cette mare et déborder cette rivière qui avaient borné sa vie. Elle essayait de retenir quelque chose qui s'en allait, tout comme elle tentait cent fois par jour d'accorer la boule qui roulait loin d'elle. L'enfant n'était pas tenable. Manzè Couli se réfugiait auprès de ses amis indiens ; et Augustus n'y voyait rien de mal. Il apprit à manger les colombos, qu'elle réussissait tout en Orient, requérant seulement que ce fût avec du cochon. Les moutons lui paraissaient déjà suffisamment malheureux d'être ainsi décapités d'un seul coup. Les coulis étaient bons fournisseurs de viande. Un jour la boule roula jusqu'à un parc à mulets d'où elle fit sortir toute la troupe, qui la suivit sans bouter. Cet enfant commandait aux bêtes. Il les emmena au galop, lui en tête sur le plus grand, par les traces jusqu'au morne le plus raide. Les mulets marronnèrent ainsi. Nous ne comprenions pas comment ç'avait été possible ; nos courses de mulets étaient la réjouissance la plus complète, où les paris étaient les plus fous. Les mulets fringants refusaient d'avancer, les intelligents partaient en sens contraire, les doux faisaient tomber leurs cavaliers. L'enfant d'Adoline les charma et les garda deux jours sur ce morne, pendant lesquels la lamentation emplit l'alentour. Adoline était folle, à cause de l'enfant d'abord, à cause ensuite des représailles du béké. Augustus patient attendit. Les voisins lui suggéraient avec de petits rires rentrés : il n'y a que la foi qui sauve. Un soir l'enfant reparut dans la case, le ventre en boule sous la tête toute ronde, les jambes en cerceau, une mèche de rhume au nez ; et quand on courut à l'enclos des mulets ils étaient tous là en bonne santé, tranquilles, un peu engrassis. Augustus fit remarquer au béké le bon état des bêtes et que, la récolte étant terminée depuis deux semaines, l'affaire n'avait pas entraîné grand dommage. Le propriétaire exigea pour dédit que le voleur s'occupât des mêmes bêtes pendant un mois. L'enfant y gagna un métier. Le commandeur Euloge lui confiait son mulet particulier ; chaque matin le garçon lui tenait l'étrier, Euloge enfourchait avec un grand « ho-yi » et partait au petit trot du mulet, ses pieds à fleur de terre. Manzè Colombo ne put supporter ce mulétage de son descendant. Toutes les femmes fuient leurs hommes, elle s'enfuit loin de sa boule. Elle se rétablit chez les hindous, une fois encore. Puis elle descendit vers le bourg. On la vit travailler dans les équipes de porteuses dont c'était la spécialité de remblayer les routes. Nous croyons même qu'elle s'en fut loin sur les quais charroyer les gros sacs de café ou de sucre, fourmi droite dans la file sans fin, montant et descendant les planches cloutées de traverses, qui pliaient sous le poids. Elle trafiqua du charbon de bois, puis, par compensation sans doute, vendit du lait dans les rues ; peut-être le lait produit par les bêtes d'Augustus. Celui-ci lui rendait visite, il attachait son mulet juste devant la porte, pour bien signaler qu'il était là. Il entrait, les jambes prises dans les roides jambières de cuir verni que les géreurs boutonnaient autour de leurs mollets. Mais Augustus ne portait pas bottines, il allait pieds nus ; sa culotte et les jambières finissaient leur course en pylône-tombant sur ses chevilles, comme s'il avait été amputé des plats de pied. Adoline n'avait donc pas quitté son homme. Nous chantions cette accordaille dans la séparation. Nous chantions aussi ce qu'on disait être la fin proche du siècle ; et quoique nous n'ayons pas su le siècle de quoi ni par rapport à quoi, nous sentions bien qu'il s'agissait d'une plombée de temps, d'un nombre incalculable de récoltes : cette fin nous entourait d'une tristesse remplie de nous ne savions quelles bouffées de joie, de palpitation d'un au-delà la fin. Nous chantions : « La fin du siècle c'est la fin la misère, Le siècle et nous on est déshabillés ; Un siècle est mort et est porté en terre, Nègre est un siècle et bien dénaturé. » C'était là notre manière de marquer le temps. Adoline aussi sembla bientôt aller vers la fin. Elle était plus qu'un siècle qui roule en décadence, c'était un siècle qui se remplit de sa propre verdure tombée. Elle tombait, comme la verdure du pays sous les coups du feu et des madjoumbés. Le pays s'éclaircissait, tout comme une case à midi laisse fleurir à travers les murs la fleur éclatée du soleil. Nous passions de la civilisation de la forêt à la civilisation de la savane : c'est du moins ce qu'on aurait dit si nous avions disposé d'un peu plus de terre dans un peu plus de temps, si nous ne nous étions pas trouvés dans ce coui d'île à ramer partout sans bouger sur les eaux. En ces jours-là l'air était on eût pensé plus sec et plus liant. Les odeurs de vesou et de jus chaud pénétraient jusque dans les pièces des maisons où ceux d'entre nous qui étaient arrivés à survivre apprenaient pour la première fois à ordonnancer les coquelicots dans des pots de vieux fer, sur les surplus de grosse dentelle qui barraient en diagonale les tables de bois blanc. Ces gens des bourgs commençaient donc de s'établir à leur compte. Les berceuses ne se trouvaient plus seulement sous les vérandas des grandes maisons, on en vit dans les balcons ouvragés qui rompaient sur la boue rouge et jaune des rues. Les marchandes s'installèrent dans les coins, vendant sur leurs trays les marinades et les locchios dont il fallait combien pour faire un sou vaillant. Les filles et les garçons étaient plus qu'étourdis de l'existence nouvelle ; il s'organisait des veillées interminables dans les arrière-cours. Les contes des Plantations descendaient au bourg et trouvaient loisir de s'étendre loin dans chaque nuit. La plupart des filles ne pensaient pas à préserver l'avenir ; les garçons en profitaient. Celles qui étaient installées par un gros mulâtre ou par un béké n'en étaient pas plus regardantes. Chacun se débrouillait. Après avoir été séparés en catégories d'hommes et de femmes, nous commencions sans nous en rendre compte à être divisés d'une nouvelle manière : ceux qui restaient dans les mornes avec les coulis obstinés, ceux qui s'égaillaient dans les bourgs pour le meilleur et pour le pire. Adoline qui ne méritait plus qu'on l'appelle manzè Colombo, et son descendant qui là-haut régentait le langage des mulets. Celui qui n'était pas encore Ozonzo (son nom devait donc un jour venir du grognement qu'il parlait à ses bêtes, à moins que nous n'ayons perdu le souvenir de son enfance au point d'avoir raturé de nos têtes sa première nomination) avait chassé les tourterelles et piégé les gros anolis violets (dont la race devait dégénérer au cours du temps jusqu'à n'offrir à la fin que ces délicats lézardons vert pâle qui n'effraient plus même une mouche) en compagnie de Zéphirin Béluse, le fils de Saint-Yves, qui donc dit le petit-fils d'Anne Béluse, lequel déracina on s'en souvient Liberté Longoué d'un seul coup de coutelas rouillé, entre les trois ébéniers. C'était étonnant comme les enfants (nous, la marmaille qu'on hélait partout et qui se moquait à gros mots de tout) avaient licence de courir d'une Habitation à l'autre. On en voyait qui, couchant dans une case de la propriété *Senglis,* travaillaient dans les petites bandes de *L'Acajou,* pour le plaisir d'être avec leurs camarades de peine : faisant ainsi perdre à leurs géniteurs la paie qu'ils eussent dû rapporter. Ils ne se préoccupaient pas de la fin de siècle. Le futur Ozonzo quitta bientôt la Petite Guinée ; il s'enfonça plus haut dans les grands bois, et on prétendit que c'était pour cacher les mulets qu'il appelait à la lune montante. Mensongerie que voilà. Il n'aurait pas eu besoin de voler, nous savions qu'il n'avait qu'à ouvrir la bouche pour enfanter aussitôt autant de mulets qu'il en faut pour labourer ou charroyer ou gagner à la course les plus affolants des paris. Augustus était désormais seul, sans l'être. Nous remarquions d'abord ses yeux, dont nous n'aurions su déclarer s'ils étaient clairs comme l'eau de midi ou plus à fond qu'une étoile à demi effacée. Il disait, je suis un seul passage et une seule rivière. Ma vie est décidée pour ça. Nul n'a pesé pourquoi il s'obstina, connaissant tout du monde alentour, à passer cette rivière débordée, avec deux moutons sur les épaules. Quand on retrouva son corps, les deux moutons étaient enroulés autour, et la laine de sa tête avait pris la couleur de leur peau. Il fut établi qu'il avait rejoint les bienheureux qui de l'autre côté des eaux sont récompensés de leur mérite d'ici. « Augustus a emporté son manger avec lui, Augustus va manger pour l'éternité, puisque Augustus jamais n'a mangé un mouton. » Il n'y a que la foi qui sauve. Adoline cria devant le triple corps bouffi : « Augustus, Augustus, ou té di moin *C'est la même rivière.* » Elle acheta aussitôt après, on ne sait comment, une des premières de ces machines à pédale qui devaient tant contribuer à la couture de nos drills et de nos cotonnades. Les Syriens commençaient d'arpenter les campagnes ; ils en avaient une connaissance sans fond et faisaient montre d'un banditisme intrépide quand il fallait laisser les marchandises, pour revenir tous les mois d'après récolter les sous. Adoline obtint cette machine qui était le monument de sa case. Du bout de la rue on entendait le tagalap qu'elle faisait courir à toute heure dans l'accablement d'alentour. Le bruit nous attirait, le monologue d'Adoline nous retenait. Elle expliquait que partout dans le monde s'allongent des rues avec des cases de bois de caisse et de la paille au-dessus ; des trottoirs de planche avec des infirmes et des estropiés, des gens à gale, à gros pieds, à doigts et dents arrachés ; que partout dans le monde bouge de la marmaille assemblée autour d'une pédaleuse, à demander ce que c'est que le monde et à imaginer ? Elle répondait en posant une question (la voix brisée roulant aussi vite que la grande roue de la machine et rythmée par le clic infini de l'aiguille sur les toiles rêches, dans cette cadence, tellement précipitée qu'elle en semblait une mélodie sans reprise, où nous reconnaissions la manière des vieux conteurs qui sous les bois-casse nous avaient enveloppés de leur nuit de mots) : « Quel était le pays où la surface des eaux avait été brisée où un trou plein de matoutous et de fièvre-la-mort engouffrait les négros où les géreurs jetaient le tafia mais vous assommaient pour l'eau douce où la mort tombait tellement qu'on en faisait du guano pour la Plantation à ce moment-là tonton Riffin était parti avait crié tonnerre de ce que je ne veux pas dire je ne vais pas pour mourir ici à ce moment-là il était plus maigre que la dynamite qui pétait les rochers voyez-vous il est entré là-bas dans la surface des eaux il l'a cassée en combien de petits morceaux il a traîné la fièvre les bêtes-longues la foule des Nègres jusqu'à l'autre côté où tous les gens d'ici qui sont partis c'est-à-dire ceux qui ne se sont pas pris la main en file de dix mille pour coucher à jamais dans les eaux sont maintenant assis sur des chaises en vrai dans des maisons à trois étages comme quoi tonton Riffin prend le bateau chaque deux ans pour venir ici voir si sa compagnie la mort est passée à l'envers de l'autre bord a embrassé quelques-uns sur ce bord-ci partout dans le monde c'est le même Siam et la douleur incalculée quel est ce pays ? » Nous répondions d'un seul cri : Panamá ! Sans nous attendre elle continuait, cousant ses mots à grands balans de la pédale. Nous savions, ah les enfants, qu'elle ne cessait de détailler cette rivière en débordement, ces deux moutons sacrifiés pour une cérémonie sans fin. Qu'elle ne pensait plus qu'Augustus avait trahi ni dérespecté. Nous n'étions tristes ni étonnés de la voir ainsi suivre au long de sa bobine de fil noir ou blanc un chemin qu'elle descendait seule, obstinée à se dessécher de la vie, au fond de la pièce qui n'était jamais tout à fait éclairée, ni par la lumière du soleil à travers les planches ni par l'éclat sans lumière du suif qu'elle allumait devant la vierge et le crucifix. Elle avait connu un bon modèle en matière de saisissement et d'immobilité. Si elle ne l'imitait pas jusqu'au bout abouti, c'était parce qu'elle éprouvait que, quelque part aux alentours, le mulétage continuait. La boule sortie d'elle l'accorait encore de ce côté-ci de la souffrance. Nous n'étions pas étonnés de la voir soudain arrêter la pédale la roue, bloquées par une force carrée indéracinable ; de l'entendre se demander à travers nous (là, droits béants invisibles), mais les yeux tout portés sur cette mare et cette rivière, « Odono, ki Odono ? »

Reliquaire des amoureux

Anatolie Celat fut peut-être le premier de notre sorte à gagner, si c'est gagner, un nom de famille. Il le devait à cet appétit de bouger qu'il ne put jamais refréner. Nous le savions. Anatolie Celat était notre goût et notre toucher, nous le jetions au-devant de nous pour nous assurer que nous existions, que nous voulions quelque chose et que nous étions en mesure de l'obtenir. Anatolie profitait de cette disposition. Il allait à l'aventure, comme disait le colon ; c'est-à-dire qu'il roulait aux frontières de l'Habitation, proclamant partout qu'il cherchait la terre nouvelle. Quelle terre ? Une terre qui n'est pas rapportée, disait Anatolie. En attendant, il profitait aussi de toutes les femmes rassemblées là. On ne se rappelait plus à quel âge il avait commencé ; il avait commencé depuis toujours. Il blasphémait qu'il était né entre les cuisses d'une femme, et les femmes criaient : Arrière satan maudit ! Anatolie riait. Il n'avait donc pas douze ans qu'on demandait partout à la volée : Où est passé cet Anatolie ? Et qu'on répondait tout aussitôt, avec des mines et des soupirs : par-ci, par-là. Pas un ne consentait à dire qu'il l'avait rencontré dans telle ou telle ou telle circonstance (c'est-à-dire, avec telle ou telle), mais tous faisaient comprendre quelle était cette circonstance sempiternelle. Pères, mères, concubins, rien qui n'ait été renoncé au profit de ce seul errant. Il était trop difficile de le contrôler ; un rêve, de le changer. Bientôt les femmes, l'entièreté des femmes, commencèrent de le rechercher, sans barrières d'âge ni de situation. C'est que le chuchotis des cases transmit de nuit en nuit qu'Anatolie, si jeune, racontait à chacune de ses relations une partie d'une histoire dont il prévenait que la fin n'interviendrait qu'au jour où il ne serait plus capable de satisfaire à ses obligations. Les hommes avaient beau avertir : « par-ci par-là n'a pas de fin », les femmes voulurent connaître toutes ensemble le début et le développement de ce chant anatolien. Elles établirent une confrérie où chacune était connue pour la part qui lui avait été contée. Les vieux coupeurs au repos sous les sapotilles riaient en prêchant : « C'est par la parole que notre mère a chuté », à quoi les femmes répondaient tout à trac : « Anatolie né pa Adam, l'histoire d'Anatolie né pa l'histoire d'Église. » Elles faisaient comprendre qu'il y avait différence. Quand elles se rencontraient, elles ne se portaient pas confidence des talents d'Anatolie, ni de ses manques, ni de l'intensité de ses ardeurs ; elles débitaient tour à tour leur part du conte. Elles ne disputaient pas de savoir laquelle était la préférée, cette question n'avait aucune importance ; elles se battaient pour défendre une vérité simple : que chacune avait eu en partage l'épisode le plus important de cette histoire éternellement inachevée, celui qui tenait le plus de poids, et qui par conséquent supposait la plus intime confiance. Une telle société secrète était possible alors. Il fallait crier, chaque fois qu'Anatolie approchait de jour : Arrière satan maudit ! – ceci pour satisfaire le colon, jaloux de sa propriété femelle, inquiet de ses droits. Il soupçonnait bien là quelque trappe mais n'eut jamais (sinon dans les derniers temps) une idée de l'énormité de la catastrophe. C'est par jeu qu'il demandait de temps en temps : Où est encore passé cet Anatolie ? Et c'est par jeu que n'importe qui répondait en tournant la tête :

par-ci, par-là. Cette confrérie des femmes excluait donc les autres hommes, qui y consentaient. Nous étions séparés en deux. Une part qui reconstituait le conte, une part qui essayait de le deviner. Une parole toute en femmes, une oreille toute en hommes. Mais cette oreille n'entendait rien. Et Anatolie au milieu, qui était nous au-dessus de nous, qui était nous mais à part nous. Que faisait-il autre que pousser à l'extrême la tactique des hommes, sans commentaires ni fierté ? Les femmes bougonnaient qu'elles préféraient cette manière et que, tant qu'à être bousculées dans tous les carrés de cannes, autant apprendre au moins un morceau de romance, pour ensuite le rapiécer avec d'autres. La compagnie s'efforçait de débiter ou de rabouter cette histoire éclatée d'Anatolie. Puis on s'aperçut d'un carnaval bien stupéfiant ; c'est-à-dire, dans la mesure où encore quelqu'un était stupéfié de quelque chose. Une mulâtresse nommée Hermancia choisit de retourner dans les champs. Elle dévirait ainsi son chemin pour tenter d'échapper aux énervements du colon. Elle eût pu être installée à brosser ou à servir dans la Grande Maison. Le maître la poursuivit ailleurs. Les femmes en ligne levaient leurs houes d'une cadence spéciale quand il apparaissait au détour d'un carré. Hermancia changeait de rang ou tâchait de disparaître dans un fonds de caco. Bien sûr pas un ne comprenait des manœuvres aussi compliquées. Il fallait échapper à l'attention des géreurs et des commandeurs, il fallait que chacun prenne le risque d'une telle protection. Tout cela pour éviter l'inévitable. Hermancia se croyait trop d'importance, ou peut-être voulait-elle se rapprocher d'Anatolie ou au moins se faire remarquer de lui. Mais il ne faisait pas de différence entre ses dépositaires de conte. Hermancia en était insatisfaite. Un jour, qu'elle n'avait pu prendre à temps sous les cacos, elle décida cette chose inouïe, au lieu de rester là bien tranquille à attendre que ça finisse, de raconter, on dit même au moment pour le colon le plus frémissant, sa part d'histoire d'Anatolie. Ainsi confia-t-elle à ce colon ce que toutes les femmes à la ronde refusaient d'avouer aux hommes. Le maître n'entendit pas cette première confidence. Mais comme les autres partageuses d'histoire, au fur et à mesure qu'il les coursait « par-ci, par-là », résolurent elles aussi de lui conter chacune son épisode, il se trouva intoxiqué de ce hachis de nouvelles, s'exaspéra de ces personnages dont il ne connaissait pas l'origine, le nom ni la destinée. Le manège d'Hermancia stupéfia donc : non parce qu'elle avait fait confidence au colon mais parce qu'elle avait déclenché cette propagation d'histoires qu'on estimait perdues dans l'oreille bouarengue du Blanc. On peut dire pourtant qu'il en devint comme fou, et son épouse aussi. On ne voyait jamais celle-ci qu'à la messe du dimanche, dans son calèche à six chevaux, dans son fauteuil d'église, dans son calèche à nouveau. On savait à peu près tout d'elle. Comme elle exigeait que son époux prît un bain à chaque fois qu'il rentrait de ses virées aux champs. (« Vous en portez l'odeur, mon ami. ») Comment elle n'avait pas supporté le caprice pour Hermancia, encore que celle-ci n'ait été qu'un numéro dans une liste sans fin. Comment elle faisait mine de tenir des écritures (savait-elle écrire ?) à propos de « l'histoire » de sa nouvelle famille et des bruits qu'on en disait : que la lignée avait dynastiquement résisté à combien de gouverneurs et d'intendants généraux, qu'elle s'était opposée, à peu près la seule, à l'occupation anglaise pendant la tourmente jacobine, et ainsi de suite. Ce n'étaient là que prétentions bien vagues, dont on parlait peu dans les cases, tout autant qu'on ne débattait pas des changements de gouverneurs, ni des arrêtés sur l'impôt du sucre brut ou terré, ni des démêlés avec la marine anglaise (ce que cette femme sans doute appelait l'Histoire, et dont elle humait un vague relent dans les quelques grimoires et pamphlets arrivés de France en même temps que les nouveaux employés engagés par son mari). Le colon, frappé de cette succession de morceaux d'histoire dont les femmes l'accablaient (on s'aperçut vite qu'elles s'arrangeaient pour lui proposer celles d'entre elles qui ne lui avaient pas encore commis leur part de récit, et que sans le savoir il prenait la suite de celui – Anatolie – qui ne faisait en somme que l'imiter), ne put se retenir de confier à son épouse (qu'on appelait dans les champs « la colonne ») ces étranges débris de conte. « C'est un complot », cria-t-elle d'abord. « Souvenez-vous des puits empoisonnés au temps de monsieur votre père. » « Mon père n'a rien à voir avec ceci », répliqua-t-il. À vrai dire il ne tenait pas à ce que le passé de la famille fût mis à jour : toute allusion à ses ascendants le blessait. Or la contagion gagna peu à peu l'épouse. Ce vent de mots, venu par bouffées des cases et des champs, l'affola. Elle ne demanda bientôt plus dans quelle circonstance la dernière en date des confidences avait été « gagnée », elle ne récriminait plus contre « cette odeur de Négresse », elle ne se retirait plus dans sa chambre « pour ne pas voir l'eau noircie de ce bain », elle tint registre des pans incohérents du récit, les faisant précéder du nom de l'informatrice du jour. Elle savait donc écrire, final de compte. Chaque épisode était orthographié sur une bande de papier qu'elle collait ensuite à l'amidon dans un registre de toile écrue. Le style en était d'elle, mêlé des ingrédients récoltés sous les caféiers. (On doit ainsi à l'égarement de la colonne les deux ou onze lambeaux arrachés à la mutité des femmes et qu'un arrière-neveu retrouva un jour, jeta sur un tas de vieux linges ; elle était la copiste inconnue et traduisait à sa manière.) « D'Armeline, au quinze de janvier : – Il tourna la tête en un rond sans ripes. L'épais du matin tourbillonnait dans sa peau. L'inquiétait la route par-delà les monts, où les grands singes se réfugiaient après leurs razzias sur les légumes à point. Il entra dans l'eau glacée de la (*illisible*), où ses pieds se chaussèrent de la terre du fond. Il venait là chaque matin, pour interroger le silence. Le gros œil du mousquet était déjà pointé sur lui, le sabre d'abordage courait déjà dans sa viande. » Et avant ou après, ou sur la deuxième page du registre : « De Mesmène, la nuit du cinq courant : – Elle avait coutume de chanter au plein du soleil, sans manquer un jour. Les deux frères s'approchaient, à tant que leurs ombres devinssent un seul corps. Ils lui tenaient chacun une main ; le chanter courait à travers les trois. Elle regardait droit devant, craignant ou refusant de choisir à dextre ou senestre. Le soleil arrêté résonnait dans ce chant. » « Tout ceci n'a aucun sens, criait la colonne, nos Nègres ne parlent pas de la sorte, vous me contez là sornettes. » L'époux se taisait, accablé. L'épouse exaltée revenait à son canevas de mots, cherchant l'ordre et la clé. Elle pensa faire fouetter les Négresses pour leur arracher ce secret. Le nerf de bœuf n'y put quoi que ce soit. Ainsi ces histoires cassées avaient-elles chassé l'Histoire de son pupitre. Elle n'éprouvait pas qu'elle enjolivait (ou dénaturait) ce que son époux avait déjà selon toute vraisemblance si mal entendu ou rapporté. La fièvre de coller bout à bout ses bandes de gros papier, défaisant chaque nuit l'ordre de la veille, l'emporta si loin qu'elle en vint à rejeter sans ménagements les respectueuses représentations du curé de la paroisse et ses exhortations à reprendre le goût de la religion et la pratique de la charité chrétienne. Cependant Anatolie allait à l'aventure, c'est-à-dire, oui, qu'il roulait dans tous les coins de l'Habitation, attentif à régler son travail sous l'œil vigilant des gardes ; trouvant moyen de semer ces bouts de mots qui devenaient dans le gros registre des bouts de papier calligraphié : ce qui fait que la maîtresse de l'endroit tenait le compte des amours d'Anatolie, reflets anticipés des débordements du maître. Bien avant que le conteur eût pu épuiser la troupe des femmes de l'Habitation, Hermancia se trouva grosse de cet enfant que le colon se félicita d'avoir procréé, le réservant pour le service de la maison, mais dont on savait bien qu'il ne pouvait être qu'un descendant du semeur d'histoires, lequel allait sur ses quinze ans. « Par-ci par-là est tombé sur un bon terrain. » « La part de conte d'Hermancia était en bon placenta. » On allait à l'église en foule, pour le frisson réprimé d'entendre l'abbé chanter, les bras en l'air, « Et le Verbe s'est fait Chair ». Hermancia du coup portait son ventre comme un saint-sacrement. Elle organisa une fête aux tambours, en ayant obtenu l'autorisation sans doute par les gracieusetés qu'elle avait faites au maître. On but du tafia sans compter. Elle mimait de ne pouvoir se lancer dans la danse ; elle buvait, au vu de tous, de pleins couis de gros-sirop épais ; elle était prise de crampes précoces. Anatolie ne parut pas à cette fête ; pas un ne s'en soucia. On parla de lui, des continuités de son histoire. Les autres femmes jurèrent sur saint Expédit que leur part de conte serait fécondée aussi. La ruse d'Anatolie était qu'il demandait à chacune, avant de la fréquenter à nouveau, de lui réciter ce qu'elle avait eu en partage de mots. Il n'aurait pu se souvenir de tant d'émiettements et d'attributions. Il affirmait, pour faire accepter son exigence, que la mémoire est la mère de faire-l'amour. L'enfant d'Hermancia, un garçon, fut le premier fruit de cette parole mise en commun ou débitée pan à pan. Le colon fit à Hermancia la faveur de lui laisser choisir le nom qu'il inscrirait sur les registres de l'Habitation. Elle décida que le nouveau-né s'appellerait Ceci. La femme du colon s'écria que ces créatures étaient imprévisibles, même dans la sauvagerie. Elle n'aurait pu concevoir qu'Hermancia marquait ainsi et proclamait son privilège caché ; qu'elle avait fait la liaison entre « par-ci par-là » et « ceci cela », l'un pour signaler où était Anatolie quand on le cherchait, l'autre pour suggérer ce qu'il faisait. Et même quand, bien plus tard, il choisit de s'appeler Anatolie Celat, les commis d'état civil ne devinèrent pas d'où lui était venu ce caprice. On peut pourtant dire qu'il fut le premier homme à être baptisé par son descendant et à tenir son nom de celui qui en hériterait. Le plus logique fut qu'à ce moment-là une volée de femmes, vieilles et jeunes – Artémise, Fulvia, Célestine, et peut-être même Sosthénie –, choisirent après lui de s'appeler Celat. Pour ces premières procréations, les femmes crurent qu'il leur faudrait attraper Anatolie par des bagages consacrés : que seuls ces quimbois lui donneraient puissance de reproduire autant de fois qu'il avait raconté d'histoires. Mais Anatolie les prévint que c'était là peine stérile. Il pouvait toutafaitement ; il n'y avait qu'à demander. Il en donnait pour garantie qu'il connaissait tout des quimbois, dont il distillait la façon à chacune de ses postulantes, par avertissement. Pour amarrer un homme : « 1. Trois poils sous le bras gauche, arrachés à la pleine lune, donnés dans un tafia de pomme-liane. » « 2. L'eau de la toilette tout de suite après les affaires de la femme, donnée un peu dans du lait de cabritt qui a deux ti moutons. » « 3. La queue de zanoli et la queue de mabouya ensemble, attachés dans le caleçon pendant sept nuits de suite. » Les femmes riaient ; seuls les Blancs portaient caleçon. Elles entreprirent une fête permanente pour publier leurs relations avec l'historieur. Une d'elles boita pendant plusieurs jours, les jambes écartelées, où qu'elle allât. Quand on lui demandait « ce qui lui était arrivé ainsi », elle répondait, les yeux baissés : « Anatoli ki fé moin sa. » Clémencia s'arrêtait en plein amarrage, le bâton d'accroc pendant comme une corde, au risque d'attraper un sacré coup de cravache ; elle gémissait : « Ah ou pilé moin, ou crazé moin Anatoli. » Hermancia n'en faisait pas moins voir qu'elle avait préséance. Elle montrait son fils à la ronde et criait : Mi primié cok ki kokoriké nan poulayé. La descendance d'Anatolie avait embelli et le colon, abandonnant la colonne à ses collages exaspérés, frétillait d'avoir telle puissance et tant de fructueux rapports. On hasardait de demander pourquoi le produit de sa semence était si peu mulâtré. Il expliquait l'affaire par une compliquée raison de provenance ; les Congo et les Guinée se trouvaient plus rebelles au mélange. D'ailleurs une fois sur deux, ça pouvait sortir blanc, ça pouvait sortir noir. On avait vu des jumeaux, l'un blondaillon avec des yeux verts, l'autre ébène avec les yeux de la nuit. L'important était que son cheptel multipliait. Cette occurrence n'était pas négligeable en une époque où les bruits les plus alarmants couraient les vérandas. Ces sacrés fils d'Albion (il les appelait avec une joie aigre les Albinos) prétendaient imposer la renonciation au système servile, ruiner les légitimes propriétaires ; ils finançaient des enragés abolitionnistes, des mabolis oui ; déjà ils avaient étranglé, à coups de frégates armées jusqu'aux mâts, le commerce de traite. Sûr qu'ils débarqueraient bientôt. C'est à gager que l'an 1850 les verrait empuantir le ciel de la fumée de leurs énormes pipes débordantes de crachats. Préparons-nous à les recevoir. Ainsi ranimait-il à peu de risques le vague relent d'héroïsme dont sa famille s'était elle-même enveloppée. Quand on possédait tant d'esclaves, on était du coup promu major ou colonel de la Milice. Un colonel se penche sur les cartes, il ne bat pas les rangs ainsi qu'un enseigne frais débarqué. De ce même coup la colonne devint, dans les cancans de savane, la colonelle. On savait bien que tout ceci était pour rire. On se moquait de l'an cinquante aussi bien que des Anglais scélérats. Ce que la s'il-se-peut colonelle avait appelé « la Chronique », et qui sous les assauts anatoliens avait tant fui de sa cervelle, et qui nourrissait le blême patriotisme de son mari, on ne le voyait pas fleurir dans les rangées d'eucalyptus, ni rouler en gros bouillons entre les roches des rivières, ni glisser sous les roules des cabrouets dans la boue rouge mélangée d'épais gravats gris, ni arrêter le bras d'un intendant plein de coco-merlo, ni peser sur le plateau de la balance aux vivres, ni guérir les enfants gonflés de la terre qu'ils mangeaient, ni soulager les femmes enceintes qui traînaient leur ventre de charge en charge, ni équilibrer ce poids dans la tête : l'éclair qui parfois dessinait là un pays enfui, à jamais enfoncé dans la mer blanche aux écumes bleuies. Hermancia prétendit que son

Ceci serait tambour du régiment, on ne savait par la grâce de laquelle des deux paternités. Mais ce fut l'une des dernières occasions où elle cria ainsi alléluia ! Car Liberté Longoué à ce moment parut et convoya le raconteur Anatolie jusqu'à la source de son histoire. L'histoire arrêta net. Liberté Longoué recomposa pour un long temps ce qui avait été séparé ; nous donna un nous dont nous désespérions sans le savoir. La part qui tentait de deviner le conte rejoignit la part qui tentait de le raconter. Nous fréquentions depuis toujours Liberté, la fille de Melchior Longoué ; mais de loin. Pour lors nous ne débattions pas de sa provenance. Melchior Longoué, dont tout un chacun savait qu'il était un marron presque officiel de l'Habitation *L'Acajou*, habitait les hauts et faisait de l'ombre alentour. Pas un houeur accélérant la pioche, pas un chanteur cadençant à trois vitesses pour augmenter la pression, pas une distribueuse les yeux levés vers les mornes pendant que les coupeurs suçaient l'eau de ses couis enveloppés de linges, pas une amarreuse piétant avec une brasse de cannes, qui n'aient un jour ou l'autre entendu dans la tête l'appel de Melchior ; l'éclair qui arrêtait le geste et brossait au fond de l'œil un vacarme de pays, vite effacé. Nous avions remarqué que Liberté n'était pas un nom, mais un souvenir : celui de Liberté Longoué le frère de Melchior, l'homme au rire en mille-pattes, l'inspiré du vent et des feuilles – dont le nom n'avait pas été un nom, mais un programme : « Liberté », dans la langue de ceux-là mêmes qui asservissaient en proclamant qu'ils libéraient –, l'insouciant qui fut déplanté d'un seul coup de ce coutelas rouillé, là-bas entre les trois ébéniers, par Anne Béluse le favori de la Plantation *Senglis*. Que Melchior pour ainsi dire avait voué la fille au recommencement du frère : ce qui avait selon l'apparence bien réussi, quand on observait la dure concentration du corps de Liberté la fille, qui faisait contraste (et entrait par conséquent en suite logique) avec les effarements aériens dont avait fait montre Liberté le frère. Il poussait là du sang courant de Nègre marron, dont nous ne gardions nulle science. Comment repérer un marron dans la masse des asservis ? Melchior disait bien que les marrons portaient leur odeur à eux. Comment la filtrer dans l'épais relent de vesou mêlé de sueurs de sang ? Rien ne ressemble à un gros orteil crispé dans la boue comme un gros orteil étalé sur la terre sèche. Mais en ce temps-là nous reconnaissions partout l'ombre portée de ce grand arbre qu'était Melchior, fils du Négateur, du premier débarqué de la *Rose-Marie,* du premier qui ait marronné parmi tous ceux qu'avait dégorgés ce bateau négrier. Aussi bien Liberté Longoué semblait-elle venir d'un autre monde. Nous fûmes stupéfaits de la voir soudain apparaître comme un point c'est tout dans les histoires d'Anatolie. Celui-ci avait presque deux fois son âge, pourtant nous pouvons dire qu'il devint comme tombé en enfance devant elle. C'était près d'un an avant ce qu'ils déclameraient être l'abolition de l'esclavage, trois ans avant la naissance d'Augustus : et voyez comme est la mémoire, nous disons Liberté Longoué, alors qu'il s'agissait en ce temps de Liberté fille de Melchior (tous pensant : Liberté de Melchior), pour ce que Melchior ne s'était pas encore planté devant les deux commis d'état civil pour leur déclarer tranquille qu'il avait décidé (sans leur en confier le pourquoi) de s'appeler Longoué. C'est bien Liberté de Melchior qui enfonça ainsi Anatolie dans un état d'enfance qu'il n'avait jamais connu. Le ramena entre les cuisses de la femme pour le laisser là béant d'une innocence écarquillée. Hermancia explosa. Dans le chemin de roches qui menait aux cases ; nous comprenions pourquoi elle avait choisi cet endroit : à la croisée de la trace qui montait vers Melchior et Liberté. Hermancia cria d'un matin à la nuit sans arrêter (un dimanche bien sûr, les géreurs se saoulaient aux maisons à mulâtresses du bourg – ça les changeait des Négresses violées dans les champs –, la colonelle dormait en rotant par moments sur son registre, le mari paradait en habit et chapeau à plumes quelque part au haut d'un champ de manœuvre), enflammant l'alentour de son aboi de rage. Elle se roula dans la poussière comme un taureau effréné, se frappa pendant des heures, arracha sa gaule de nuit, et même la touffe de crin de maïs qui lui servait à éponger ses affaires de femme, les piétina pendant deux ou trois autres heures, le sang lui coulant sur les cuisses et les jambes ; sans cesser une seule fois d'incendier les arbres et le ciel (et tout ce qui bougeait ou autour se figeait dans la mare de soleil) de ses hurlements. Provoquant Liberté en combat mort pour mort. Qu'elle avait collé Anatolie avec la bave de Satan. Que Ceci était le garanti détenteur de la Parole. Que toutes les sangsues du marécage dansaient en collier autour du cou de Liberté. Que qu'est-ce que c'était que cette avortée qui n'avait même pas l'âge d'écarter les jambes à l'équerre et qui prétendait se faire monter par un étalon. Que sa mère avait coqué avec combien de mulets à trois pattes pendant que son prétendu père balançait là suspendu par ce qui aurait dû lui servir à autre chose. Que la patate de sa mère sentait tellement fort que le rejeton avait bouché son nez pour passer à la naissance. Que c'était pourquoi le nez de Liberté tombait sur les bords comme la dépente du Morne Larcher dans la passe du Diamant. Et ainsi de suite. Dans l'après-midi la sueur, la terre et le sang des menstrues lui avaient fait un épais vêtement durci. Elle fumait dans la chaleur. Au coucher du soleil, elle renonça brusquement à occuper l'espace, disparut. Le lendemain elle avait tout effacé de son corps et de son allure, Liberté, Anatolie, la provocation insensée à Melchior, comme si elle s'était ri de ces choses nouvelles. Et Liberté, qui « n'avait encore que parlé une fois » avec Anatolie (nous savions bien que toute cette journée de dimanche elle entendit monter vers elle ce fracas de malédiction qu'Hermancia fit exploser du fond, et s'activa tranquille au travail de sa case, Melchior debout la regardant), fit exprès de retourner ce même lendemain vers les mares de la Petite Guinée, d'y rencontrer à nouveau le raconteur d'histoires pour lui demander d'où il tenait ses morceaux de fait accompli. Anatolie stupéfié se souvint qu'il les avait entendus de la bouche d'Eudoxie la manman de sa manman. Liberté voulut détailler le début et la fin, et l'agencement du tout. Anatolie avoua qu'il n'en savait rien. Les crapauds de la mare étaient raides sur leurs feuilles bleues. Liberté récita les pans de mots *(ni temenan kekodji konon)* que Melchior lui avait enseignés ; les traces éparpillées de la langue ou plutôt des langues concentrées dans les soutes de la *Rose-Marie* et qui s'étaient volatilisées au vent d'ici. Anatolie n'avait aucun souvenir. Liberté lui montra le début et l'enchaînement de l'histoire rapiécée qu'il avait débitée avec tant de profit. Mais le début tombait dans un trou sans fond, où plus personne n'était visible. Anatolie se fâcha, cria qu'il préférait son manège auprès des femmes ; que l'obscurité n'était rien : tant qu'on la projetait *devant* son corps. Liberté répondit que la mémoire était plus chaude quand on la gardait ronde ouverte ; que l'obscurité nourrissait le corps quand on la sentait là derrière vous comme un Grand Commandeur du Passé. En vérité que faisaient-ils, les deux, que hasardaient-ils, sinon retrouver avec des mots, puisque aucune autre matière ne poussait à leur entour, et façonner ou échanger, les débris de la beauté à quoi chacun peut prétendre et que nous ravinions partout dans le pays avec nos corps et nos cris, espérant sans le savoir que la beauté, pardelà toute misère et toute épreuve, nous unirait ? Espérant non pas contre toute espérance mais en dehors de tout espoir connaissable et repérable. Je cherche une terre, une terre qui n'est pas rapportée : tel fut le sens des paroles d'Anatolie ; à quoi Liberté répondit qu'aucune terre, jamais, n'est rapportée. Que la terre, quand elle colle à la terre, sent monter du fond le même balan de chaleur qui traverse toute la terre. Elle emmena Anatolie, et la mare aux eaux jaunes recommença de bouger sans ombres. Ils montèrent vers une position fortifiée où naguère on avait parqué les Africains nouvellement débarqués ; elle le fit entrer, à l'écart de toute vie, dans un de ces vieux cachots à demi enterrés qui avaient servi à mater les récalcitrants ; ils plongèrent à quatre pattes dans son abîme. Là, Liberté lui révéla que l'histoire d'Eudoxie était double Que nous n'en finissions pas de ne pas savoir reconnaître une histoire d'une autre. Qu'il y avait d'abord eu ce qui était arrivé au premier Négateur connu, lequel avait engendré Melchior ; et qu'il y avait eu, beaucoup plus avant dans ce qu'on dit être le temps, ce qui était arrivé à un autre Négateur, tellement semblable et différent qu'on ne pouvait pas même dire qu'il avait été le premier. Que le père de Melchior avait tout de suite connu l'histoire de cet autre Négateur, qu'il en avait senti les odeurs dans toutes les branches des traces, sans savoir décider s'il recommençait le même chemin. De sorte que quand on criait Odono, Odono, on ne devinait pas auquel des deux le nom s'adressait. Que le passé comme l'avenir étaient tout entiers dans ce rond de cachot. Qu'il valait mieux contempler ainsi le passé dans un fond de nuit, sans préciser les noms ni les moments. Puis elle lui confia ce qu'elle avait appris : la rivalité d'amour et le combat des deux frères, ou de ceux-là qui se considéraient tels ; le chemin du village indiqué par le traître ; la capture, la grande pirogue qui était devenue monstre, poisson naviguant sur les hautes eaux, avec sa chambre de comptes et les enfers d'en dessous ; l'eau à l'infini comme une glace qu'il faut casser pour contempler ton image ; le fond des eaux où les boulets t'ont ensouché ; l'arrivée par ici et la fondation des ennemis, c'est-à-dire leur nouveau combat qui n'était que le miroir d'une guerre plus ancienne ou peut-être le forgement d'une fraternité irrémédiable ; la course devant les chiens et pour finir cette longue nuit de soleils qui avait étendu au long des années sa ravine, où ils avaient dérivé tous deux à travers leurs descendants ignorants, tous deux ou les quatre s'il se trouve (puisque le géniteur de Melchior n'aurait pas soutenu qu'il était le premier, aussi bien que nous devons aujourd'hui regarder ce trou de temps sans vertige, mais sans aucun instrument pour le mesurer), en tout cas raflés là-bas dans le pays d'avant par les mêmes chasseurs qui ne faisaient ni distinguo ni préférence. Accroupi la tête entre les jambes Anatolie soupirait. Liberté lui offrit de revenir en cet endroit pour engendrer leur descendance. Anatolie chuchotait que tout le monde avait oublié, que tout le monde avait oublié. Liberté dit que les femmes n'oubliaient pas. Qu'on les voyait à peine venir au monde, et qu'en tout cas on ne les voyait jamais mourir, qu'on ne savait vraiment pas de quoi elles mouraient, comme si leur mort était prononcée dans un temps tout rond accroché comme une calebasse aux branches de la trace – mais qu'elles n'oubliaient pas. Et ils sortirent à la fin de ce trou du passé (où ils devaient se trouver pour au moins une fois encore), effarés du soleil sur les roches en cailloutis. C'est à partir de ce trou débondé que déferla sur nous la foule des mémoires et des oublis tressés, sous quoi nous peinons à recomposer nous ne savons quelle histoire débitée en morceaux. Nos histoires sautent dans le temps, nos paysages différents s'enchevêtrent, nos mots se mêlent et se battent, nos têtes sont vides ou trop pleines. Liberté conduisit Anatolie vers la case où vivait Melchior, et où il resta quelque temps. L'époque était troublée, l'Abolition faisait ébullition, le colonel était aux champs ; la disparition d'Anatolie ne fut même pas notée, il n'eut pas le brillant d'être porté marron. On vit bientôt que tout ce bruit de libération était félon, comme avait prédit le commandeur Euloge. Rien de changé ; si ce n'est que le colon, quittant plumets et pistolets, se mit donc avec ardeur à rassembler pour presque rien les terres qu'on lui avait payées à profusion. Il ne s'intéressait pas aux Hauteurs, et ses pareils non plus ; aussi bien Melchior vivait-il là sans désagréments. Liberté descendit du gros morne, s'installa dans la Petite

Guinée ; deux ans après Augustus vint à naître. Melchior le regarda longuement, quand Liberté le lui apporta, et il dit qu'elle avait deux hommes dans sa vie, un qui connaîtrait l'eau desséchée, l'autre qui connaîtrait l'eau débordée. Il parut que Liberté comprit la chose dite. Elle demanda pour quelle raison Melchior ne prédisait pas plus loin dans l'avenir. Il répondit que loin-dans-l'avenir était à la folie et à l'oubli. Alors Liberté céda sur toute la ligne de l'existence. Elle accepta qu'Anatolie choisisse de s'appeler Celat. Hermancia du coup réapparut aux alentours. Elle accepta qu'on porte Augustus aux fonts du baptême. Melchior en rit avec bonté. Elle accepta qu'Anatolie aille encore à l'aventure, dans tous les coins de l'Habitation. Elle accueillit dans sa case les enfants de son homme, les soigna, les nourrit. Les femmes, qui avaient craint les pouvoirs de Melchior et de Liberté, recommencèrent de fréquenter Anatolie ; non pour obtenir un morceau de cette histoire qui en vérité s'était arrêtée net, mais pour avoir le plaisir de participer à la performance. Car Anatolie assis devant sa case et recevant les visiteurs qui laissaient libres leurs mulets (dont la plupart connaissaient le chemin de la mare et liaient bon voisinage avec les crapauds), faisant tourner les rations de rhum rouge et les quarts de cassave tout-mous, donnait volontiers le détail de ses trente-cinq (non mon voisin, trente-six est le vrai chiffre de Dieu) descendantes et descendants. La flatterie des visiteurs poussait jusqu'à Liberté, à qui on offrait compliment d'un tel concubin. Hermancia expliquait partout qu'elle était la sœur de Liberté ; admise dans la case, sa part de rhum et ses feuilles de tabac n'étaient jamais mesurées. Aussi, comment comprendre que Melchior et sa fille ne l'aient pas transformée en soucougnan après ce dimanche ? Anatolie n'était mangé d'aucun souci. La seule remarque jamais prononcée le fut à l'occasion de la rencontre d'Augustus et d'Adoline la fille d'Euloge. Liberté confirma son accord en déclarant (avec un gentil sourire de femme encore jeune mais déjà si loin de ces aventures, insensibilisée vivante à toute vie) qu'Adoline avait bien fait d'avoir choisi Augustus, et Augustus Adoline, parce que celle-ci était née dans les bois où Anatolie n'était jamais monté, et qu'ainsi Augustus pour le moins était sûr de ne pas se mettre avec une de ses sœurs, tant il y en avait qui couraient à la ronde. Elle dit à Augustus qu'il était né dans plus qu'un bois, dans un trou du passé. Il comprenait l'annonce. Melchior l'avait regardé. Liberté avait soufflé au premier jour dans le trou de sa tête. Et, à trois ans, elle l'avait frotté de citron vert et d'herbes fortes, l'avait exposé (attaché) à cuire pendant une heure au soleil pétant, pour le garder une fois pour toutes du soleil. Elle avait tué d'un coup d'un révulsant sirop vert, qu'elle lui avait enfourné dans la gorge, sa tête prise entre ses cuisses dans un étau indesserrable, les gros vers qui lui sortaient des fesses tout autant que les petits qui pointaient par la bouche et le nez. Hermancia communiqua partout la recette de Liberté. Pouvait-il être que cette femme renoncée fût la même qui avait fait descendre Anatolie dans le trou brûlant ? C'était la même. Et Anatolie était le même, qui aujourd'hui se cachait pour avaler ses décoctions de bois bandé, soutien à ses forces déclinantes. Son lait chaud avec du suif, ses graines de bœuf en pimentade. Mais s'il ne rencontrait aucune complication dans la case, Anatolie avait des ennuis du côté de la grande maison. Le vieux colon, décidément dégrisé de ses folies guerrières, s'était vu enlever toute autorité de finances par un conseil de famille. La colonne était morte sur un tas de vieux papiers de toutes les couleurs qu'elle s'était effrénée à découper au moyen de délicieux et minuscules ciseaux. La fille s'était jadis fardée de poésie, elle imitait Parny dont les œuvres avaient mis du temps à parvenir jusqu'à elle. Nous récitions Parny en récurant les vases. Pour l'heure elle explorait sans fin un galetas, au triple galop de la bête qui tourneboulait dans sa tête. L'ancienne distillerie était presque une usine. Il avait été bruit d'une raffinerie, mais les gouverneurs avaient mis le holà. Les raffineries raffinaient en France. Le vieux n'en était que plus redoutable, de ne trouver plus rien à faire. Il ne tenait plus entière licence de prendre les femmes qu'il rencontrait : cette conséquence infime était ce qui l'exaspérait le plus de l'Abolition. À vrai dire il ne risquait aucune poursuite, tout autant que les femmes ne le craignaient plus. Mais il s'était entêté à croire qu'on limitait sur ses pouvoirs. Aussi élevait-il d'énormes chiens qui l'accompagnaient partout et assistaient à ses tentatives avortées d'accouplement ; chiens que nous parvenions à tuer à tout coup et qu'il remplaçait aussitôt. Nous fréquentions toutes qualités de chiens depuis des ans. Il s'était enflammé aussi pour les jeunes Hindoues, plates comme des fleurets, dont les premières cargaisons avaient été installées, en même temps que les pères et les frères, par son conseil d'administration. Et quoique Anatolie n'ait pas eu le temps de s'intéresser aux coulies (l'affaire était trop neuve, le fossé trop raviné entre les communautés, les coulis arrivaient avec leurs familles bien établies, dont il fallait être reçu avant de crier cocorico), le vieux, qui ne l'avait jamais soupçonné du temps qu'il avait été un esclave à merci, décréta que cet Anatolie-là était le plus insupportable résidu de l'abominable Abolition. Les vantardises tranquilles d'Anatolie à propos du nombre de sa descendance l'exaspéraient plus encore. Bientôt ces Nègres voudraient fonder famille, tenir lignée. Le colon décida d'en finir. Liberté s'arrangea pour le rencontrer par les traces : elle se tenait debout immobile à le regarder, il passait entraîné par ses deux ou trois molosses, faisant semblant de ne pas la voir. Melchior affirma que ni une personne, et même pas Melchior, n'aurait su renverser l'avenir ; Anatolie vieillissant était incontrôlable. Avec Euloge et le colon ils semblaient former une équipe sans fin, l'un pour couper, l'autre pour amarrer, le troisième pour amasser. (Euloge et

Anatolie qui s'étaient soigneusement écartés l'un de l'autre, la vie durant.) Nous ne voyions pas le temps à travers eux ; le temps était monté à la verticale comme la bouche d'un incendie de cannes, il retombait sur nous tout comme l'œil d'un cyclone en septembre. Il paraissait bien que ce trou débondé avait envahi l'espace et nous maintenait en équilibre dans la contemplation de ces trois-là. Alors le vieux convoqua sa troupe de chiens, des chiens sur pieds ; il donna l'ordre. Anatolie fut assailli au sortir d'une ribambelle et jeté dans un puits tari où le colon avait déjà (depuis l'Abolition) fait précipiter deux ou trois frères ou concubins de ses femmes. Nous disions que couché sur des os et des morceaux de toile de corde, le cou brisé, Anatolie était revenu là d'où il était parti, mais que le seul œil ouvert, son œil gauche, pointait à chaque fois sur la lune pleine et faisait pleurer les nuages. « Par-ci par-là est maintenant ici-là-même. » « L'eau desséchée a reconnu son devenant. » Mais nous comptions aussi que ce colon était pour lors trépassé. Liberté Longoué l'avait assez averti. Il le savait, car il se barricada dans la Grande Maison, dont le galetas était déjà occupé. Il renifla les aliments, refusa de boire dans des verres. Il mangeait des fruits cueillis et buvait dans sa main. Trois jours après la disparition d'Anatolie, sa tête enfla, son corps enfla, il fut pris de convulsions. Il murmura : « Liberté est descendue dans le puits, Liberté est ressortie du puits. » Et il trépassa. Ses proches, le conseil de famille, le conseil d'administration, qui ne connaissaient rien à de telles histoires, rapportèrent ces dernières paroles au combat qu'il avait semblé mener sa vie durant contre la menace anglaise : ce qui raffermit après coup sa réputation de patriote irréductible. À la veillée, Euloge se traîna jusqu'au corps exposé (on lui fit cette faveur, le corps était dressé dans le vestibule de la maison, il n'y avait pas à entrer loin à l'intérieur, et Euloge avait été un dévoué commandeur), il salua gravement, fit le signe de la croix avec la palme et l'eau bénite, et nous fûmes quelques-uns à comprendre qu'il chuchota, face au cercueil ouvert : Aprézan i mô man pé mô san rigré. Comme si nous avions besoin de voir là le corps mort pour nous persuader que nous pouvions brûler avec des mots la chair faillie du colon. Comme si nous avions pour rite de le tuer en esprit à chaque fois. La fille descendit du galetas, traversa ce vestibule, sans presque s'arrêter près du gisant bien arrangé ; mais ils purent tous l'entendre chanter, « Quand reviendrez-vous au jardin d'espoir, doux rossignol enfui de mon miroir ? » Puis elle remonta les escaliers de bois. À ce moment (elle avait disparu comme une aile de vent) les assistants s'aperçurent qu'elle n'avait été vêtue que d'un voile de dentelles, gris de poussière et de toiles d'araignée. Nous savons, nous, que Liberté Longoué (que nous n'avons donc jamais osé appeler Liberté Celat ni même Liberté d'Anatolie) tomba malcadi au moment tap où le colon fut descendu en terre. C'est-à-dire qu'elle s'assit sur le perron de roches devant la case de la Petite Guinée, ne bougea plus. Il n'y avait rien à faire. On la transporta dans la case, on ne put jamais la coucher sur son grabat. On l'assit au milieu de la pièce, où elle resta les yeux ouverts. Elle avait choisi de chavirer du côté de cette mare où Odono s'était baigné, ou dans cette eau débordée qui devait un jour emporter Augustus. Hermancia pleura pendant des jours et des nuits devant Liberté assise. Liberté qui nous avait rassemblés en un, sans que nous ayons eu pouvoir de le proclamer. En quelle année c'était, Seigneur, en quelle année c'était ? On la frotta de camphre, on la fouetta de branches de corossol mouillées, on l'aspergea d'eau bénite, on la brûla sous les pieds avec une cuiller en argent rougie au feu. Elle ne bougea pas plus ni ne ferma les yeux jusqu'à sa mort, veillée par Melchior lui-même agonisant, étendue à travers tant d'espaces qu'elle avait dévalés, dont son seul regard mesurait le fond.

Mitan du temps

Mémoires des brûlis

« La foule des mémoires et des oublis » nous déporte, le charivari précipite, nous voilà débarqués grotesques effarés de ces deux barrières : la houle des mots à quoi nous ne comprenons hac, leur musique en pluie qui fait mal derrière la tête, où s'ouvrent parfois des habituées qui nous remplissent d'une joie si claire (par exemple quand nous découvrons que Koutla veut bien dire ceci qui nous fera refuge, le tranchant des jours et des nuits, qui te permet de croire que tu survivras) et l'épais des bois vers quoi nous levons les yeux, n'osant penser que nous y monterons un jour. Nous voilà paisibles, pleins de ces autres mots qu'il nous semble ramasser sous les quénettes comme des témoignages de temps anciens demeurés là inatteignables, quand nous engouffrons le camanioc ou nous gorgeons de ouicou et de mabi. C'est le mitan du temps. Le lieu dont nous ne dirons pas qu'il a façonné dans quelle terre rouge ou noire la génitrice d'Anatolie que nous nous rappelons à peine, étonnés que nous sommes des vantardises de son fils le conteur d'histoire. Le cyclone du temps noué là dans son fond : où il s'est passé quelque chose que nous rejetons avec fureur loin de nos têtes, mais qui retombe dans nos poitrines, nous ravage de son cri. Voici le moment venu de connaître que nous ne continuerons pas à descendre en mélodie la ravine ;

qu'arrivés au bord de ce trou du temps nous dévalons plus vite en sautant de roche en roche. Sommes-nous dans le regard de Liberté ? Parlons-nous au passé comme la femme sans nom ? Arrêtons-nous la roue de la machine, du même geste qu'Adoline ? Ou bien plutôt nous béons là devant la muraille de lianes, cherchant le trou par où passer ? Cherchant la trace. Nous avons quitté les cierges écaillés plantés dans le sable, les nœuds de palétuviers où l'odeur chavire, les mancenilliers flanqués des oliviers de mer comme le mal indissocié du bien, nous avons pris la pente parsemée de bois-trompettes et de calebasses (loin en bas moutonnent vert pâle les goyaves, frissonnent dru les campêches dont les piquants courent l'espace, et oublions les éventails des cannes déployées au vent), nous piétons sous les tamarins des Indes et les gaïacs, voici déjà la nuit sans fond des bois-fer et des mahoganys, sur quoi éclate l'élan immortel des acomats. *Nous sautons de roche en roche dans ce temps !* Aa conduisait sa troupe avec sûreté, entre les couches d'ombres. Il profitait des passages plus aérés pour commander par gestes, disposer les groupes. Il attirait les poursuivants jusqu'à la chute d'eau où il les attaquerait. Les Blancs ne savaient pas qu'en plus des coutelas volés il avait fabriqué des arcs et des flèches dont les derniers survivants caraïbes lui avaient enseigné l'usage. Il héritait la patience des Arawaks et l'ardeur des Caraïbes. Pour appâter ses poursuivants il lançait de loin en loin l'appel de son nom, pardessous les fourrés de bambous qui claquaient sous les ébéniers ou les bois-quinquina. Aa-a. Même ses compagnons s'accroupissaient quand il poussait son cri. Les esclaves qui parmi les chasseurs tenaient les chiens en laisse s'arrêtaient les yeux égarés ; les engagés armés à mort devaient les fouetter, en prenant garde de ne pas blesser les dogues. Aa-a. Le cri prolongeait ce nom que l'homme s'était choisi, pensant que c'était là le premier mot de la langue des Blancs. Les engagés vantards, qui se moquaient de lui pour se donner du courage, l'avaient nommé Bb. Mais ils fouettaient tout autant leur propre ardeur que les dos des meneurs de chiens. Aa s'était gagné une réputation en forçant l'amitié des vieux Indiens, lesquels considéraient avec combien de mépris ces hommes noirs qui acceptaient l'esclavage. Il leur avait expliqué que la distance d'océan ne permettait pas au plus grand nombre de résister. Il leur montrerait maintenant qu'un petit nombre pouvait se battre. Nous ne connaissons pas les autres hauteurs, nous ne manions pas les pirogues, nous avons laissé nos dieux là-bas. Les vieillards disaient, il y a la falaise pour se précipiter. Il répondait, je veux me planter dans la terre d'ici. L'eau de la cascade était si glacée, après les étouffements et les mouches du bois, que ses hommes tentèrent de s'y jeter. Il les écarta sans pitié, à grands gestes menaçants. Il supposait bien que les poursuivants avaient souffert tout autant et ne résisteraient pas. Il disposa son piège. Les molosses pointèrent leurs gueules, entraînant leurs suiveurs. Les engagés couraient pour être à l'eau les premiers. Aa donna le signal. *Nous sautons cette roche !* Calciné montait dans la muraille de fougères, à peu près d'une toise chaque année. Il refaisait sa case à la limite des brûlis, au fur et à mesure que l'Habitation s'étendait pour le rejoindre. Son feu précédait celui des abatteurs. Il restait accroupi aux frontières de sa part de terre brûlée, vérifiant que les gens des bandes s'arrêtaient bien comme convenu à la ligne qu'il avait fixée. Calciné fuyait devant les cultures, année après année. Les débroussailleurs criaient qu'il était un tèbè, mais ils stoppaient leurs éclaircissements de la terre à l'endroit précis où il avait commencé le sien. Les deux taches noircies, parsemées de roches brûlées, de racines rétives éventrées, la grande parcourue des travailleurs en fourmilière, étendue sur la largeur du morne, la minuscule déserte ronde, se rejoignaient. Çà et là des troncs fumants se dressaient, plus récalcitrants que d'autres. On entendait Calciné qui ricanait sous ses ombrages. Il chérissait les figuiers maudits dont les branches bâtissent des colonnes sans fin qu'il faut achever à la hache, il détestait les grands bouquets roux et vert de caïmites qui s'enflamment d'un coup et consument d'eux-mêmes leurs énormes troncs. À la fin de cette époque, les contremaîtres guettaient le feu de Calciné : pour évaluer à l'avance le travail qu'il y aurait à le rejoindre. Il rythmait la poussée dans la profondeur-en-hauteur. On découvrait les débris de sa case de l'année d'avant ; l'habitude fut prise d'y mettre le feu en premier. Il fournissait donc le combustible pour démarrer. Arriver en tête à la case abandonnée de Calciné portait bonheur. Pas une fois le colon ne donna l'ordre d'aller plus loin que la frontière ainsi posée par le feu du fou. Il n'était pas fou, il occupait les esprits. Il surveillait tout, le dessouchage, le labourage, ainsi de suite. Les donneurs de voix chantaient, « Bois Calciné c'est le bois du repos, Quand Calciné est pris le travail fini ». Les femmes dansaient des invites sans honte vers la ligne de bois où on savait qu'il était accroupi. Quand la pente devint enfin trop raide, ou quand le propriétaire décida que sa propriété légale était assez arrondie, Calciné s'installa pour le restant de sa vie à cette dernière lisière, hélant au serein du matin que la bête était arrêtée, qu'à partir de désormais jusqu'à dorénavant la fumée du bois avait coré la bête à deux pieds. *Nous sautons sur une autre roche !* Tout en haut en haut, là où les pieds chavirent d'il n'y a pas un sou de plat pour accrocher le talon. L'homme oublié de tous cale sa figure entre ses bras. Dans sa chair cahotent les impossibles. (Ne pas repérer l'endroit du monde où tu te débats. Ne pas découvrir sous ta main la forme de l'outil que tu as fabriqué. Ne pas te prouver que c'est là une trappe ou un coup de soleil. Entendre le mécanisme qui te roule dans sa cadence ; ne pas surprendre la force qui fait marcher la machine.) L'homme oublié (souvenez-vous) s'était pris de folie pour la construction commencée un an auparavant, en bordure de l'habitation. Il avait travaillé là comme bon à tout faire, porteur, scieur, ajusteur ; possédé d'une prescience impatiente. Il s'était trouvé combien récompensé quand, les premiers et seuls jours où la construction avait fonctionné, il avait vu entrer les boucauts de sucre rouge presque noir et avait assisté à la transformation, jusqu'à cette farine blanche translucide qu'il observait pour la première fois et dont on avait dit que c'était du sucre affiné. Puis les soldats étaient venus, un tamboureur récitant devant l'entrée une proclamation, et en une semaine de travail ils avaient démonté l'ensemble pièce après pièce. Ils étaient partis en bon ordre, les besaces pleines de sucre mélangé blanc et roux, le laissant là au milieu des décombres, tout égaré. Il souffrit cette affaire bien plus que le colon propriétaire de la raffinerie, lequel fut dédommagé. L'homme oublié est l'homme démuni, dont la machine était un rêve, démoli. Les hauts de bois l'ont convoqué dans la furie ; en haut tout là-haut il se consume et crie. *Nous sautons la roche.* Pour raconter ho une fois de plus le mémorable examen du premier certificat d'études la maisonnée tout excitée Vous serez commandeur peut-être même économe aujourd'hui pour être économe il vous faut le certificat ne regardez pas sur les autres tant pis pour les autres chacun pour son pain Le candidat chaussant les godillots coiffant le casque il monte à l'assaut L'examinateur dégoûté de telle parodie où va-t-on où va-t-on il maintient un mouchoir devant son nez sans doute pour éloigner des relents suspects C'est pour le moins la deux cent unième fois que nous la racontons Voyons voyons « avec quoi raffine-t-on le sucre, *brute* » le silence le golbo descendu des bois qui sans respirer ou du moins c'est l'impression qu'il donne répond « avec du noir, *animal* » bien entendu il n'a pas eu son certificat le maître d'examen le renfonce dans les autres pourtant c'est dit et décidé chacun va courir pour son corps le sauvetage est pour chacun non pour tous et sauve qui peut. *Sautons la roche !* Quand les hommes considéreront à merveille et désolation d'avoir encore sept dents à la mâchoire supérieure et peut-être bien neuf à l'inférieure, et qu'à évoquer les ripailles de leurs fabuleux ancêtres ils crisperont d'une légère mimique de dégoût cet appareil fragile, quelqu'un s'il se trouve sera pris de passion religieuse pour les prodigieux légumes dont il imaginera que nous nous sommes empiffrés : il repérera dans son mémo-bracelet leur liste très occulte, peut-être interdite. Les lourds dachines gris-marron dont la bouche épouse la molleur, les choux durs en contraste avec la sauce des pois blancs, les ignames, portugaise à chaud, sassa qui s'effiloche, saint-martin qui s'englue, pacala qui s'évapore. Le fruit-à-pain, bleu en sa jeunesse, jaune de baume quand il décrépit. On n'ose dire le coushcoush, tellement sa succulence est rare. Nos lointains descendants soupçonneront-ils que nous eussions échangé tout cela contre un quart de pain ? Qu'enfournant notre farine de manioc prise à pâte, nous rêvions des pains deux-têtes bourrés de beurre salé fondu à la chaleur et de saucisson gras suant son eau ? La farine de France saupoudrait nos rêves. Nous ne faisions marcher qu'une dent, la dent à pain. *Nous sautons nous ravageons la roche nous sommes les casseurs de roches du temps.* Perdu dans le trou sans fond l'homme s'échine à jalouser sa descendance. Il mâchonne qu'il a droit de connaître son propre sang. La femme sent monter la nuit ; ce qui vient là est au plus fond de la misère. L'entour des pieds de bois les esseule, dans l'avancée de terre où la case est accrochée. Midi sonnant ne perce pas la profondeur. Aucune éclaircie : ni dans la moiteur des feuilles ni dans l'épaisseur des mots. Pas un éclair dans la cervelle, pas l'ombre d'un pays, quand même effacé. Seulement l'accablement, si monotone qu'il en devient léger. Imperceptible, et d'autant plus massif. L'homme considère inhumain d'être ainsi réduit dans ses œuvres. N'importe quel colon engrosse une esclave, attend treize ans que la mulâtresse produite soit à même d'enfanter à son tour ;

alors il l'engrosse pour son plaisir. L'homme a marronné, ne supportant pas cette oppression qui va plus avant que toutes les autres. Il a deux filles, il vit aussi avec l'aînée, c'est son droit. La femme déjà ridée fait semblant de ne pas voir. Elle ne sait pas si elle déracine l'homme d'un coup de coutelas ou si elle se rencogne dans un coin de nuit sans trembler. L'homme entreprend de connaître sa seconde fille ; de la garantir contre tous les colons possibles. Midi pétant ne perce pas cette nuit. La fille ne bouge pas, ne pleure pas, ne crie pas. Elle commence à parler sans pouvoir arrêter. Elle continue de vivre, de marcher, de travailler. Les bois menacés de brûlis sont pleins de sa parole. Elle deviendra pour nous la femme sans nom, la manman d'Adoline Alfonsine, la compagne d'Euloge le commandeur, lequel monta dans les bois au moment de l'Abolition (pour ne pas accepter cette cérémonie vide) et en redescendit pour servir un béké dans toute sa dure vie d'en bas. *Nous pilons en poudre la roche du temps.*

Bestiaire de jour et minuit

La poussière de roche dans quoi nous dérivons. Le temps couvert de bêtes tragiques ou grotesques, nos compagnons. Les fourmis par exemple. Si tu ne cours pas plus vite que les fourmis, elles te mordent dans le talon. Quand on dit : les fourmis t'ont mordu le talon, c'est que tu es déjà au bout de l'épuisement. Tu as quitté le monde où on avance et embrassé la terre qui s'enfonce et s'effile. Les fourmis sont les gardiennes de la fin. De toute sa vie Ceci Celat ne fit que cultiver la folie des fourmis. On le voyait méditer, debout contre la barrière du parc à bœufs, la main droite grouillante de fourmis rouges, les plus drues. Il avait tracé un cercle de quelque chose de blanc sur son bras, un peu en avant du coude, et le tas affolé ne montait jamais plus haut que cette limite. C'était comme un chiffon dont il se fût ganté la main et le poignet. Les gens regardaient à peine, disant : « Ceci, tu n'as pas encore mangé toutes ces fourmis. » Il ne mangeait pas les fourmis, non, il leur parlait. Étonné quand il trouvait parmi les rouges une folle égarée, qu'il attrapait on ne savait comment et déposait non loin probablement de son trou. Ces rouges sont féroces, elles marchent en armée, elles ratissent le terrain, soudain elles se déploient en tenailles, se referment sur des proies dérisoires. Ce que les fourmis partagent entre elles, c'est je m'en fiche pour la qualité du butin. Ceci Celat expliqua cette affaire au moment de sa comparution. Les fonmi-fou n'ont ordre ni méthode, du moins pour l'apparence. Elles sont à vous désespérer. Cela ne vaut pas de les prendre sur la main et le bras, elles retombent tout à fait d'elles-mêmes. Elles ne piquent jamais, c'est à ne pas croire. La question n'est pas là, disait le juge, vous êtes accusé d'incitation à l'émeute, et ainsi de suite, les deux discours l'un sur l'autre (le juge chargé de réprimer ayant décidé de pousser l'affaire et de négliger les détails), dans l'étouffement de la pièce où les ravets couraient en plein jour comme à un carnaval, croyant en vérité la nuit venue. Le greffier sans âme les écrasait à coups de son éventail de feuilles de coco tressées qu'il appelait (ayant eu connaissance de l'affaire d'Alger) son bey à mouches. La poussière bouchait le nez. La sueur brûlait les yeux. « Étant patent que l'individu Ceci Celat il ne faut plus s'ébaubir a participé aux rébellions qui ont si criminellement mis à feu et sang une contrée paisible Mais les mordants monsieur le juge les fonmi-mordan vous passez l'inspection la patte a toujours un petit butin à enfourner les volants musieu lu juge les fonmi-volan c'est la dentelle ouvragée par le Père qui veille sur tous Et qu'il est établi que ledit individu a de son chef porté atteinte ce faisant à la propriété d'autrui Autrui c'est les mulâtres les fonmi-mulatt tu regardes par le travers c'est rouge brûlé comme soleil couchant pour quoi les fonmi-mulatt sont aussi dits fonmi-satan oui oui En conséquence est condamné à être déporté dans les bagnes de Guyane pour y purger sa peine le restant de ses jours au suivant Merci de tout monsieur le juge dans la Guyane c'est là qu'il y a les plus développés fonmi merci merci de tout. » Au suivant, au suivant, qu'on les enfourne tous en Guyane ! Et bien après Ceci (nous ajoutions toujours : « il y avait Celat », ne soupçonnant pas combien cette parole était vérifiée, de ce que Celat procéda de Ceci), l'histoire de la bête envoûtée. Le mitan de la pétrification. Cocognon qui s'était pris de querelle avec son voisin Alivon. Tout le monde disait que c'était à cause des « on ». Il y avait dans ces noms trop de « on » pour un seul endroit. Mais Alivon avait charmé le seigneur des bêtes-longues et l'avait enfermé dans sa case. Il commentait à sa compagne que la bête était prisonnière, qu'il l'avait amarrée par la queue et que, tant que la tête restait au bout-devant de cette queue, il n'y avait rien à craindre. La femme ne put supporter de se réveiller trois ou quatre fois dans la nuit et de voir les deux fentes jaune rosi des yeux qui flambaient dans le coin, là où le maître-serpent se dressait pour regarder les dormeurs. Elle quitta la case. Alivon marchait dans les bois avec la bête-longue qu'il tenait par la queue, criant : « Voici l'ennemi qui passe. » Nul ne s'inquiétait vraiment ; beaucoup de gens ramassaient des serpents pour les fêtes de quartier. Nous en connaissions un qui les embrassait sur la bouche ; jusqu'au jour où, ayant trop bu de tafia, son serpent favori probablement ne reconnut pas son odeur. Cocognon se déplaçait toujours avec son coutelas comme il est normal. Alivon menaçait qu'il allait enrouler la bête autour du cou de son voisin et enfourner gueule à gueule. Ils se rencontrèrent peu après, c'était fatal. On dit qu'ils dansèrent une longue et lente danse en rond, s'insultant sur des choses sans importance. On dit aussi que la bête remuait la tête, tour à tour dans la direction de Cocognon et d'Alivon. Celui-ci la lança brusquement sur son ennemi, en commandant : Frappé ! Mais ce fut Cocognon qui frappa de son coutelas et trancha net la tête. La tête qui vola se planter dans le cou d'Alivon où elle déchargea tout son venin. On dit qu'Alivon fut tellement foudroyé qu'il en resta raide debout. On dit aussi que c'est ce que papa Longoué devait plus tard prédire : que tout prétendu quimboiseur se retrouvait un jour *la tête à l'envers*. Cocognon redescendit et affirma « qu'il savait bien que cette tête demandait à être délivrée de sa queue ». Vers le même temps (si encore on peut savoir qu'un temps est le même : il y a le temps des hauts qui t'enroule à merci, le temps d'en bas qui te traîne dans tous les sillons, sans compter le temps de là-bas qui cogne en éclair dans la tête, et combien d'autres insoupçonnés), le roi des chiens courut les mornes avec sa troupe. Un descendant patenté de tous les chiens chasseurs qui avaient traqué les Nègres. Un chien de race sélectionnée. On ne trouvait pas de quelle gendarmerie ou de quelle meute dressée il s'était enfui. Il avait rassemblé un bataillon de chiens créoles qui le suivaient comme des chiens peuvent suivre. Il organisait son armée comme un fieffé capitaine ou un général de première ligne. Les chiens-fer étaient envoyés en éclaireurs, pour provoquer ou rabattre un passant isolé. Les chiens combattants attendaient, embusqués dans les lisières. Le roi gardait auprès de lui les femelles et les jeunes. Parfois ce chef-chien sautait dans le groupe pour donner le coup final. Parfois l'homme réussissait à s'en sortir, le corps en lambeaux. Sinon, au matin, on ne retrouvait de lui qu'un tas d'os et de viandes déchirées. On dit que les chiens sans poil, envoyés en avant pour décider de la victime, ne se battaient jamais. On dit aussi que cette troupe ne faisait aucun bruit, ne se disputait pas, n'aboyait pas. Ce fut le vieux Saint-Yves Béluse (lequel, après son aîné Zéphirin, avait eu quatre fils, Saint-Aimé, Saint-Ange, Sainte-Luce et Saint-Assez, plus une sixaine de filles) qui donna la solution. Il avait observé que l'armée en campagne se rameutait pour boire et baguenauder près de la source de la Roche noire. Il confectionna un résolu poison pour chiens et le jeta dans la source, enveloppé dans un paquet de sac de corde attaché de deux grosses roches. Le roi des chiens ne se méfia pas assez de la science des Nègres. Il but avec sa compagnie. Le lendemain on les retrouva en tas près de l'eau, comme s'ils s'étaient jetés les uns sur les autres pour se réchauffer. Le roi en haut du tas couvait ses enfants. Il les eût probablement tenus éloignés des saucisses empoisonnées que semaient les employés des Services publics. Il venait d'assez loin pour ça. Les chiens créoles auraient dû l'avoir averti des secrets des bois. Saint-Yves Béluse retira le paquet, avec combien de précautions. Pendant des jours et des jours il fallut courir après les cabris pour les éloigner de l'eau pestiférée. Saint-Assez, cinquième garçon de Saint-Yves Béluse, fut alors engagé comme chef de troupeau bien loin de là, sur les hauteurs de Case-Pilote. La performance de son père lui tint lieu de recommandation. Le moment le plus fou de la journée venait à cinq heures de l'après-midi : Saint-Assez agitait un grand drap sur la crête et les bœufs dévalaient vers lui, entraînés par les deux taureaux : Chinois et Soldat. Les taureaux quels qu'ils fussent nous poussaient à sauter d'un bond les barrières de près de deux mètres ; nous en parlions tout autant que des bêtes-longues ou des chiens. Le convoyeur s'entremit peu à peu dans la querelle qui opposait les deux majors du troupeau ; Chinois et Soldat se partageaient les femelles, selon des critères claniques. Saint-Assez les observait, couché dans les ti-baumes en bordure des savanes. Les papa-bêtes tournaient, à l'opposé l'un de l'autre. À des intervalles qui semblaient déterminés ils se précipitaient au mitan du rond et s'affrontaient en des laghias sanglants. Le gèreur commandait à Saint-Assez de mettre fin à ces combats. Mais comment ? Le chef de troupeau, sans exciter aucun à l'assaut, les soutenait tour à tour, avec une impartialité méticuleuse, chuchotant des encouragements que personne bien sûr n'entendait. Il poussait jusqu'à les accoupler sous le même joug, ce qui donnait une tête d'attelage bien centrée, les deux rivaux tentant sous ce joug de s'atteindre et de se meurtrir. Un soir Saint-Assez se réveilla en sursaut et courut au parc. Chinois et Soldat se battaient sous la pleine lune, ayant apparemment décidé de mettre une fin dernière à leur querelle, loin du regard des hommes. Saint-Assez assista, les jambes molles, à ce combat de présidents. Chinois jaune et marron avec des striures de feu sombre, Soldat tout noir, comme d'un bleu de ténèbres, avec une tache rouge au front. La ronde durait depuis des heures et la lune était au plein du ciel, où quelques nuages n'atténuaient pas l'éclat des étoiles sur l'horizon, quand Soldat planta ses cornes dans le flanc de Chinois. Les autres bêtes n'avaient pas bougé. Ils restèrent pétrifiés, les trois : Saint-Assez qui monologuait sans arrêt, Soldat comme agenouillé sur ses pattes de devant, Chinois qui semblait déjà détaché des choses d'ici-bas. Et peu à peu, centimètre par centimètre, l'incommensurable s'éleva. Soldat soulevait Chinois, la masse énorme portant la masse énorme, jusqu'à le tenir à bout de cornes vers la lune. Découpés sur le fond du ciel comme une seule statue d'ébène, le porteur au prix de cet incroyable travail, le vaincu tétanisé ou peut-être, ayant accepté la défaite, collaborant en immobilité avec son vainqueur pour organiser ce groupe des profondeurs. Saint-Assez hypnotisé ne voyait pas la lune descendre, ni les étoiles pâlir, ni les bœufs et les vaches peu à peu se lever et tourner autour de la statue. Le « laitier » (c'est du moins l'homme qui avait charge de traire les bêtes) les découvrit à cinq heures du matin. Quand on dessoucha le corps de Chinois, Soldat tomba mort, le cou brisé. Saint-Assez quitta son troupeau. Il carapatait sans aucune attache humaine. On dit que c'est parce qu'il ne voulait imiter Soldat ni Chinois. Et, bien plus tard, quand Dlan Silacier Medellus, qui devenaient nos rapporteurs de Croix-Mission, racontaient l'histoire de Saint-Assez, ils proclamaient que le chef de troupeau avait vécu là « sa nuit de véritas ». Silacier prétendait ricanant que le « vacher » s'était éloigné des femmes pour n'avoir pas un jour à se précipiter dans le rond face à un galant. Dlan songeur remontait avec nous, sautant de roche en roche, programmant toutes ces bêtes qui nous avaient poursuivis, dont il détaillait la malfaisance et nous faisait sentir les odeurs démultipliées. C'était là une de nos manières de courir au bout de la mémoire (le chien à trois pattes de Zéphirin, le matou-chatt du percepteur, Apostrophe avaleur d'ombre qui entra dans la peau du Roi-Serpent : ainsi à l'infini), dans cette dévirée de terre si soigneusement maintenue à l'écart de toute vie d'alentour et où nous devions imaginer le monde au-loin, à partir de si peu d'éléments, et si menteurs, dont nous avions pu prendre connaissance. [Jusqu'à ce trou d'où nous nous écartons en sautant ; jusqu'au « qu'est-ce qui se passe » qui révulse tout un chacun : au point que si un seul tente de remonter là, ou au moins d'essayer de décrire les chemins en roches pour remonter, tout aussitôt on s'écrie que le soleil tape dans sa tête ; on rit, avançant que ce ne sont que mots ; on se drape de mépris, accusant qu'il est un truqueur, un rabâcheur d'astuces, une tête mabolo de la connaissance et de la fausse science. Tellement nous avons peur de ce trou du temps passé. Tellement nous frissonnons de nous y voir. Et un soir, Dlan les yeux vers les étoiles nous demanda s'il n'y avait pas, hormis les bêtes-longues et les chiens et les taureaux, une autre sorte de bête qui nous avait poursuivis dans nos rêves et par les traces ? Une bête avec la peau épaisse, le piquant pointu, le poison qui porte loin. Et nous avons bien couru devant. Sans compter que ces animaux-là ont par moments la patte douce, et que combien parmi nous sont flattés de les fréquenter à l'abri des bois, et même de leur offrir à boire. Et par jeu (devinée la réponse), nous avons questionné : « Quelle sorte ? » Et Dlan les yeux pointés vers ses pieds : « Les gendarmes », chanta-t-il.]

Registre des tourments

Une fleur soutint son corps et sa pensée pendant cette agonie. La dernière fleur qu'elle eût aperçue avant qu'on l'enfourne dans ce bateau ; et qui saurait dire comme une fleur (dont on a oublié le nom, dont on est parvenu par quel don des Esprits à raturer le nom de sa mémoire) court s'il se trouve d'une tête à l'autre, fleurit de génération en génération, depuis les ancêtres voyageurs jusqu'aux descendants voyagés ? Une volée de feu marquée d'éclairs blancs, qui flotta devant elle dans la nuit empestée de la coursive, avant qu'on la jette dans le réduit aux odeurs de vomi et de sel de mer où elle croupit le temps de ce qu'il fallait bien appeler le voyage. Et dès ce moment les marins la violèrent, jour après jour et nuit après nuit, ainsi que les deux femmes, l'une contre l'autre. Aucune ne criait. Elles ne parlaient pas la même langue, si du moins on en croyait les rares exclamations que leur état leur arrachait. La fleur brillait entre les planches pourries d'eau salée qui donnaient sur le grand jour, et changeait de couleur avec probablement la course du soleil. La même fleur qu'elle détaillait maintenant, bleu sombre dans cette nouvelle nuit de la case. Quatre personnes étaient entassées là. Elle avait su tout de suite qu'elle portait un enfant, et avait commencé de se détester. Elle observa longuement les femmes, qui lui parlaient par gestes.

Dehors, elles examinaient avec attention les herbes et les plantes de ce pays, cachant sous les bouts de toile qui leur servaient de vêtement ce qu'elles sélectionnaient et mettaient à sécher, ce qu'elles pilaient avec soin, ce qu'elles faisaient mariner dans une lèche de tafia au creux d'un morceau de chaudron cassé. Porter un enfant ne posait pas problème, aucune des autres ne s'en souciait vraiment ; il suffisait de trouver les herbes qu'il fallait. Elle avait résolu de voir au jour le produit de sa chair. Ses compagnes ne comprenaient pas, ayant décidé du programme qui pendant longtemps serait celui de toutes, dont elles apprenaient la formule bien avant d'en comprendre le texte : manjé té pa fè ich pou lesclavaj. Une terre grenue et salée qui ravageait l'intérieur du corps. Elle ne consentit pas à cette pratique ; pourtant elle ravageait à sa manière son corps. Elle s'offrait de nuit à tous les esclaves du quartier des cases. Ils surent très vite qu'il n'y avait là ni ruse ni danger. Ils entraient furtifs, honteux de toucher cette allongée ouverte qui ne regardait même pas vers eux. Ils ne levaient donc pas les yeux, encore qu'ils n'eussent rien vu dans ce noir dedans. Dehors les ombres accroupies attendaient que l'ombre précédente fût sortie et couraient toutes courbées vers la porte entrebâillée. Les occupants de la case terrassés par les seize heures de travail n'avaient pas la force de s'étonner. C'était là un défilé de vingt ou cinquante par nuit. La femme écrasait ainsi le corps dont elle ne disposait pas. Les journées au jardin ou aux ateliers continuaient l'éreintement des nuits, on eût dit que cette créature était inépuisable. Il y avait là quelque chose d'inexpliqué, une magie. Plus le temps passait, plus la terreur grandissait. Nul n'osait regarder en face cette agissante. Pas un ne lui adressait la parole. Ainsi n'apprit-elle pas les rudiments de la langue qui là se forgeait. Les engagés blancs ne s'intéressaient pas à elle, rebutés par l'annonce de son état ; le propriétaire attendait la naissance du nouvel esclave, tout ravi de cette augmentation de capital qui n'avait entraîné aucune dépense ni demandé quelque aménagement que ce fût. Les nuits sans dormir succédaient aux journées dans les carrés de pétun ou à l'épaillage du maïs, on eût dit que cette femme était possédée d'une puissance infatigable. Au fur que son ventre poussait, les amateurs nocturnes se faisaient rares. Elle n'en restait pas moins écartelée sur sa couche de paille et d'herbes sèches, la tête tournée vers la cloison où se dessinait la fleur. Les bruits couraient, jusqu'aux autres Plantations. Il y avait une femme montée qui n'arrivait pas à se défaire de la Puissance en elle. Elle essayait tous les hommes exerçables pour se dégager. Ailleurs la rumeur disait qu'une troupe de cent neuf femmes se relayaient dans une case pour voler la semence des hommes et composer une Milice pour libérer les Nègres. Ailleurs encore ce n'était pas une Milice mais un poison, toujours avec cette semence comme composant, pour tuer les habitants colons et les engagés leurs serviteurs damnés. Aucune autorité n'avait vent de telles paroles, aucun conte ne les recueillait, elles s'envolèrent de nos mémoires : il n'en resta pas trace repérée. La femme essayait maintenant de poser la fleur (grandie devant elle) sur ces arbres nouveaux. Elle s'arrêtait longuement sous une branche, penchant la tête dans tous les sens ; les gardes se détournaient. Elle murmurait des choses douces, dont on percevait de loin la musique, aux plantes et aux souches. La terreur diminuait. Un jour une épailleuse la toucha, l'emmena à travers les cases. Elle se laissa faire mais ne dit mot. C'était comme une égarée, sauf qu'on voyait bien qu'elle faisait exprès. Elle sembla donc découvrir les feuillages, les graines, les fruits verts ou à maturité. Une paix ou un long sommeil. Les occupants de la case témoignèrent qu'elle ne dormait toujours pas. Il y avait encore quelques amateurs à se glisser la nuit par cette porte sans loquet ni barre de traverse. Elle était là ouverte sur sa paillasse. Sans doute chercha-t-elle à retrouver une telle pose chez les suppliciés dont le spectacle devenait quotidien à l'approche des récoltes. Le nerf de bœuf était l'accélérateur du rendement au travail. La moindre faute était punie. La femme s'intéressait en particulier à la figure dite du *quatre-piquets :* la victime étendue sur le dos, les poignets et les chevilles attachés à quatre pieux le plus distendus possible. On fouettait la poitrine, le ventre, les jambes. La femme posait la fleur sur le front du malheureux ; on dit qu'alors de sentir sur lui ce regard de l'au-delà soulageait le supplicié. Les séances de lapidation empruntaient bien d'autres compositions. Le *hamac* balançait le flagellé par les bras et les jambes, la *brimballe* le suspendait par les mains jointes, l'*échelle* interposait un bâton entre ses épaules et ses bras ramenés en arrière. La femme enceinte assistait à ces exécutions que le reste de la troupe fuyait sous les prétextes les plus aventureux. Son exténuement visible semblait distraire les condamnés de leur tourment. Son regard en fleur les apaisait. Il paraît que les fouetteurs chargés d'appliquer les sentences, et qui à l'ordinaire taillaient avec férocité leurs frères de peine, retenaient devant elle la force de leurs coups, ne supportant pas d'affronter le visage vide, le ventre pointant. Elle semait la paix, et on espéra bientôt qu'elle reviendrait de ses pratiques, trouverait un rien de repos, communiquerait avec quelqu'un, apprendrait le langage du travail et même se prendrait un jour à sourire d'un engagé prétentieux ou à se moquer à mots voilés des servantes de maison. L'odeur mêlée des cafés, des cacos et du tabac commençait d'être balancée par le vent des cannes et par l'entêté relent du gros-sirop qu'on en extrayait. Les carrés de labours s'étendaient, les moules à sucre s'entassaient de plus en plus sur les égouttoirs, on en était à remplacer les Nègres des pressoirs par des mulets toujours blessés à vif. L'habitant propriétaire se félicitait de la sorte d'harmonie que la femme diffusait. C'était la guérison en plein paludisme, le soleil dans le trou du cyclone, la terre ferme au plus chaud du tremblement. Ne vit-on pas des bouquets de lys sauvages accrochés exprès aux branches des traces, on ne savait par quelles mains irréelles ? Ce lot de terre allait-il devenir une étape de paix après une marche de mort ? Il fallait penser que cette personne à la fin consentirait au sort de tous : combien de ses semblables avaient été violées, portaient un enfant, avalaient des herbes. La vie passait pour tous, la mort était au bout. On attendit l'accouchement avec confiance, supputant que la naissance de l'enfant ramènerait la mère des territoires perdus où elle s'était isolée. Il y eut une servante de cuisine pour hasarder de demander à l'habitant s'il comptait vendre le nouveau-né une fois enfant. Il eut la bonté de comprendre l'affaire et de déclarer que la mère ni le produit de ses entrailles ne quitteraient l'endroit. On avait oublié les nuits folles des premiers temps. Les hommes regardaient à présent la femme dans les yeux. Aucun d'eux ne montrait honte ni regret, ç'avait été une histoire sans gravité. Pour un peu on en eût fait un chanter. Les hommes chantent volontiers leurs manques. Les compagnes, celles qui avortaient en un système sans rémission, celles qui se dévergondaient sous toutes les touffes des alentours pour oublier on ne savait quoi, celles qui avaient accepté l'inévitable et tâchaient de s'accommoder de ce nouveau ciel, tout comme celles qui refusaient encore et regardaient vers l'horizon en mornes et forêts, celles qui servaient dans la maison et celles qui s'éreintaient dans les jardins, toutes, se mirent à espérer en la naissance de l'enfant. Il naquit en effet un matin, à l'heure où l'équipe des champs devait se rassembler. La nuit encore drue noyait la case. Les autres occupants sentirent la femme bouger, ils vinrent pour l'aider ; mais elle les repoussa, sauvage, avec de grands gestes frénétiques. Ils se groupèrent près de l'entrée, assistèrent sans bouger. Ils racontèrent ensuite, jurant sur leur âme que c'était vérité. Une vérité telle qu'elle s'enfuit bientôt de la mémoire de tous, et qu'il ne s'en trouva pas un assez mauvais ni dénaturé pour oser rappeler, chantant à mots détournés dans les cannes ou chuchotant la nuit dans les cases, ce qu'elle avait supposé. Une vérité qui ne franchit jamais les limites dans lesquelles on dut par force et obligation la maintenir. Trop glacée pour la lâcher en liberté sur les traces, trop proche et pour ainsi dire personnelle pour en laisser percer ailleurs le moindre éclat, trop insoutenable pour la garder avec soi au risque d'avoir à la consulter de temps en temps. Car la femme avait accouché, sans aucune espèce de souffrance ni de travail, comme si pleine de force elle se fût acquittée d'une besogne quotidienne. Puis elle s'était étendue sur la paillasse avec le petit tas, dont on ne sait pas comment elle avait coupé le cordon. Elle l'avait allongé, l'essuyant et le caressant. Et les acolytes muets près de la porte jurèrent que malgré cette nuit de quatre heures du matin *ils virent* épouvantés qu'elle étouffait l'enfant, cherchant à le faire souffrir du moins possible ; et les regardant tour à tour comme pour les prendre à témoins ou garants. Ils virent son regard. Elle se tourna bientôt vers la cloison de torchis de la case. Elle cherchait la fleur. Mais toutes couleurs avaient disparu, le rouge de nuit, le bleu à l'odeur forte, le mauve consolant ; la fleur était dorénavant fleur d'aucune heure. La femme commença de secouer la tête de droite à gauche et de gauche à droite, de plus en plus fort, tellement que son corps sautait sur la paillasse. On ne put jamais l'arrêter. On utilisa tous les instruments de géhenne qu'elle avait si patiemment inspectés sur les condamnés : le ceps, le masque, le carcan, la barre. Ils se relayèrent dans le tournis affolé. Elle ensanglantait les bois et accélérait. Quelques-uns tentèrent de lui maintenir la tête, mais le corps ruait. Elle mourut dans la journée, nul ne put dire si ce fut avec le cou brisé ou la cervelle écrasée à l'intérieur. Ses compagnons de case sollicitèrent la permission de construire une autre cabane, ce qui leur fut accordé. On estima que la douleur provoquée par cette double mort légitimait la demande. Les amis du propriétaire le plaisantaient sur son peu de clairvoyance. L'harmonie et la paix avaient été plus qu'éphémères ; les étonnants lys sauvages étaient flétris. Ils convinrent avec lui que la mère s'était tuée à cause de l'enfant et que, s'il fallait déplorer la barbarie de la méthode employée pour ce suicide, ils ne pouvaient pour autant méconnaître l'extraordinaire d'un sentiment maternel aussi puissant chez des êtres d'ordinaire si frustes.

- waste of potential
- analogy of birth and death

Actes de guerre

Aa fut capturé, après trahison d'un des siens. Une calamité du pays est que, par moments irraisonnables, certaines gens y choisissent l'agrément du maître de préférence à la parole de leurs semblables. Trois bottes de tabac, une claque sur l'épaule, un sourire de connivence, la promesse du pardon : tels furent les deniers ; dont le sourire et la tape furent sans doute les plus appréciés. Aa fut pris vivant. Il leur en coûta deux engagés, quatre chiens, sans compter les estropiés. Les chasseurs entendaient connaître ses secrets : l'emplacement des caches, qu'il ne révélait pas même à ses hommes, le détour des chemins par où il tendait ses traquenards, et s'il était vrai qu'il préparait en secret une flotte de barques (une flotte !) pour dévaler d'île en île. De tous les échanges de paroles qui s'établirent ici entre sourds, celui-ci fut le plus terrible. Non pas à cause de la torture : il y a une limite à la récitation des tourments, un moment où l'oreille refuse d'entendre, où il ne devient même plus important, hélas ! de savoir que celui-ci est trépassé en vingt morceaux, si cet autre a résisté, qu'un dernier s'est pris le cœur entre les dents pour ne pas ouvrir la bouche. Ce four à charbon éventré où ils l'engouffrèrent par les pieds, debout dans l'incroyable des profondeurs, il convient de le refermer sur son corps. Échange inouï, sans communication ni partage, sans aveu, parce que ce qu'il avait à crier s'étendait loin au-delà des domaines que régentaient ces chasseurs, ne concernait pas ceux-ci, n'entrait en rien dans leurs visées. Parce qu'ils exigeaient de lui des choses dont il ne pouvait plus concevoir l'importance, dont il avait une fois pour toutes considéré qu'elles n'avaient plus lieu d'être : exactement depuis qu'il avait appris que les vieux chefs indiens s'étaient levés, avaient commandé à leur peuple de prendre le chemin de cette falaise. Il en était resté si faible qu'on peut supposer qu'il donna main à la trahison qui devait le soumettre à merci. Sans compter que la trahison lui était chose familière. Les tourmenteurs criaient, avec de gros rires : « Aha ! Aha ! » Ils l'avaient traîné au petit jour, entouré des chiens étrangement silencieux, jusqu'à l'emplacement de ce four, et ils se vantaient que jamais âme qui vive ne saurait ce qu'il était advenu de lui, qu'on l'oublierait bientôt partout aux alentours ; qu'il n'avait qu'à parler pour abréger ses souffrances. Il saisissait un peu de ces invectives : que c'était vrai qu'il resterait seul dans son four et que sa mémoire s'envolerait dans la fumée des bois-campêches (quelle infinie désolation, ho ! de partir ainsi sans rien laisser de son corps ni de son âme à qui que ce soit qui pût en ramasser la poussière) ; et comme il répondait (si c'est répondre) dans sa langue maternelle, les autres hurlèrent que qu'est-ce que c'était que ce charabia de moricaud, est-ce qu'il ne pouvait pas parler une langue de chrétien, avait-il reçu le saint baptême, que sinon voilà, aha, aha – ils le baptisaient sur le front et la poitrine avec un tison arraché du four. Aa cependant leur disait dans sa langue obstinée qu'il avait mené une guerre dans son pays, une autre sur ce bateau, une autre encore dans la terre d'ici ; qu'il avait toujours gagné ses guerres, avait toujours été pris ; que les hommes déportés, parce que c'étaient des femmes et des hommes et non des bêtes qu'ils opprimaient ainsi, lèveraient une autre guerre, pour survivre ; que ces gens oublieraient Aa mais que son cri coulerait dans leur poitrine comme un beau flambeau ; qu'ils en seraient malades jusqu'à haïr la seule idée de son existence fabuleuse ; que c'était là sa victoire et qu'aucun four dans aucune forêt du monde n'était assez grand ni brûlant pour l'engloutir ni la ravager. Que c'étaient là ses Actes de guerre. Puis il se tut (si brusquement que les autres, interloqués, s'arrêtèrent, muets et ballants de cette mutité absolue) ; car il voyait le peuple des vieux chefs indiens avancer vers la falaise. Les femmes, portant les enfants, qui continuaient simplement à marcher dans l'air au-dessus du rocher blanc d'écume et qui tombaient par grappes, les guerriers qui bandaient leurs arcs et tiraient une volée, ou bien gonflaient leurs joues et soufflaient dans leurs sarbacanes, alors qu'ils étaient déjà lancés dans le vide (en sorte que les flèches vrillées à la verticale se plantaient ensuite mollement dans le tapis de corps sur les roches en bas), les anciens, la tête voilée de feuillages épais, qui avaient renoncé à voir une dernière fois le soleil rouge au couchant, les chefs ensuite, la face au contraire levée pour une suprême malédiction, et le vieillard, l'ancêtre qui désormais s'étendrait sur son peuple englouti comme une couverture éternelle contre les pluies et la fureur des tempêtes, lui le dernier, les poings levés de chaque côté de la tête. Aa poussa un hurlement. Ne supportant pas, qui s'était à peu près le seul de son espèce battu jusqu'au bout, qui allait mourir dans ce tourment, qui avait été transbordé de si loin, de concevoir l'extinction de cette population de la forêt. Hurlant sa rage de n'avoir pu l'aider ou mourir avec elle. Criant (dans sa tête) que le vent de la falaise résonnerait dans chaque coin de cette terre et reviendrait toutes les dix générations hanter les arbres et les gens. (Aa qui ne pouvait présumer combien vite les têtes deviennent ici oublieuses, comme il y est difficile de rameuter le temps passé, son cortège irréel, sa souffrance qu'on ne veut pas croire.) Et le hurlement, qui déclencha une nouvelle échevelée activité des brûleurs, se continua d'un trait en une autre parole. Disant que ce qu'il confiait là, il l'avouait aux seigneurs des bois qui du haut de leurs feuillages roux et mauves se penchaient sur sa mort ; aux ombres et à la nuit qui l'avaient tant protégé naguère et qui aujourd'hui préparaient son passage ; aux ancêtres restés dans le pays là-bas mais dont le souffle avait traversé l'océan pour le rafraîchir sur son front ; et non pas à ces singes hurleurs dévalés dans la récolte d'autrui. (Au moment même où les autres s'excitaient, se recommandant qu'après tout ce spécimen ne représentait que le premier des animaux.) Que la chanson avait commencé autour de cette mare aux ablutions, dans le pays là-bas, quand deux jeunes gens, l'un pasteur l'autre guerrier, se rencontrèrent avec une jeune fille. Que toutes les chastetés de l'eau avaient lustré leurs trois corps. Et l'un n'allait pas sans les deux autres. Non pas dessinés dans le mystère des vies parfaites mais vaquant ensemble aux choses grenues de chaque jour. Et ils s'étaient secrètement donné, les deux jeunes hommes, le même nom : Odono ; et ils avaient publiquement reconnu qu'ils étaient frères. Ce que les anciens du peuple avaient accepté avec gravité. Mais la bête soudain de l'envie et de la jalousie avait mordu dans leurs chairs. Sans raison apparente, sans cause connue. L'air était à déchirer la peau, l'eau suintait comme une huile, la mare avait blêmi dans son épaisseur. Odono vendit Odono. Un frère trafiqua son frère pour le déportage : il ne fut pas lui-même épargné. Que les trois se retrouvèrent sur le bateau, et qu'à l'heure de ce four nul ne pouvait préciser lequel alimentait ainsi de sa viande la fabrique de fumée. Si c'était le trahissant ou le trahi ? Qu'il ne le dirait pas et qu'il consentirait seulement à reconnaître qu'Odono était là pour agoniser. Que ceux du bateau connaissaient leur histoire, dont ils avaient fait légende et conte. Qu'Odono était là en bas, quelque part autour des mortiers à indigo. Qu'Odono s'était fait guerrier par ici et avait tué plus justement qu'on ne le tuait. Qu'Odono avait été vendu dans un atelier, qu'au même temps il s'était enfui avant même d'être exposé au marché, ce qui fait qu'aucun propriétaire ne viendrait réclamer le prix de son corps. Qu'Odono verrait les enfants de ses enfants fouiller dans ce tas où Odono était mort. Tous demandant sans arrêt qui donc, qui ça donc avait laissé dans ce charbon ses os-de-cuisse noircis ? Le trahissant ou le trahi ? Que la légende mûrit comme un balan de piment en touffe ; qu'elle éclate dans la branche où la nuit monte et s'installe, qu'elle descend en lumière au-dessus de la mare, qu'elle tombe en éclats dans une source où les chiens vont boire, qu'elle multiplie Odono dans le cœur de ceux qui marchent sans savoir, mangent sans penser, boivent sans avoir soif. Qu'elle devient Odono qui meurt et Odono qui va survivre – alors l'un des bourreaux s'arrêta ruisselant, aveuglé des fumées âcres, cria : « Le moricaud se moque. Il n'y a par ici aucun endroit qui se titre Odono. » Et (ainsi mourut Aa qui s'était choisi le premier nom par rang d'ordre dans la langue des déporteurs : alors le tourment se répandit alentour, s'alentit et dormit pendant des temps, rejaillit avec des éclaboussures de lumière et d'ardeur, disparut encore pour flamber à nouveau dans une poitrine ou une tête ou une foule exaspérée) se postant devant l'enfumé, le regardant droit dans les yeux ou dans ce qu'on pouvait deviner être les yeux, et décidant joyeusement : « Allons, c'est assez, mettons fin à ces discours enflammés », il lui planta un brandon dans la bouche.

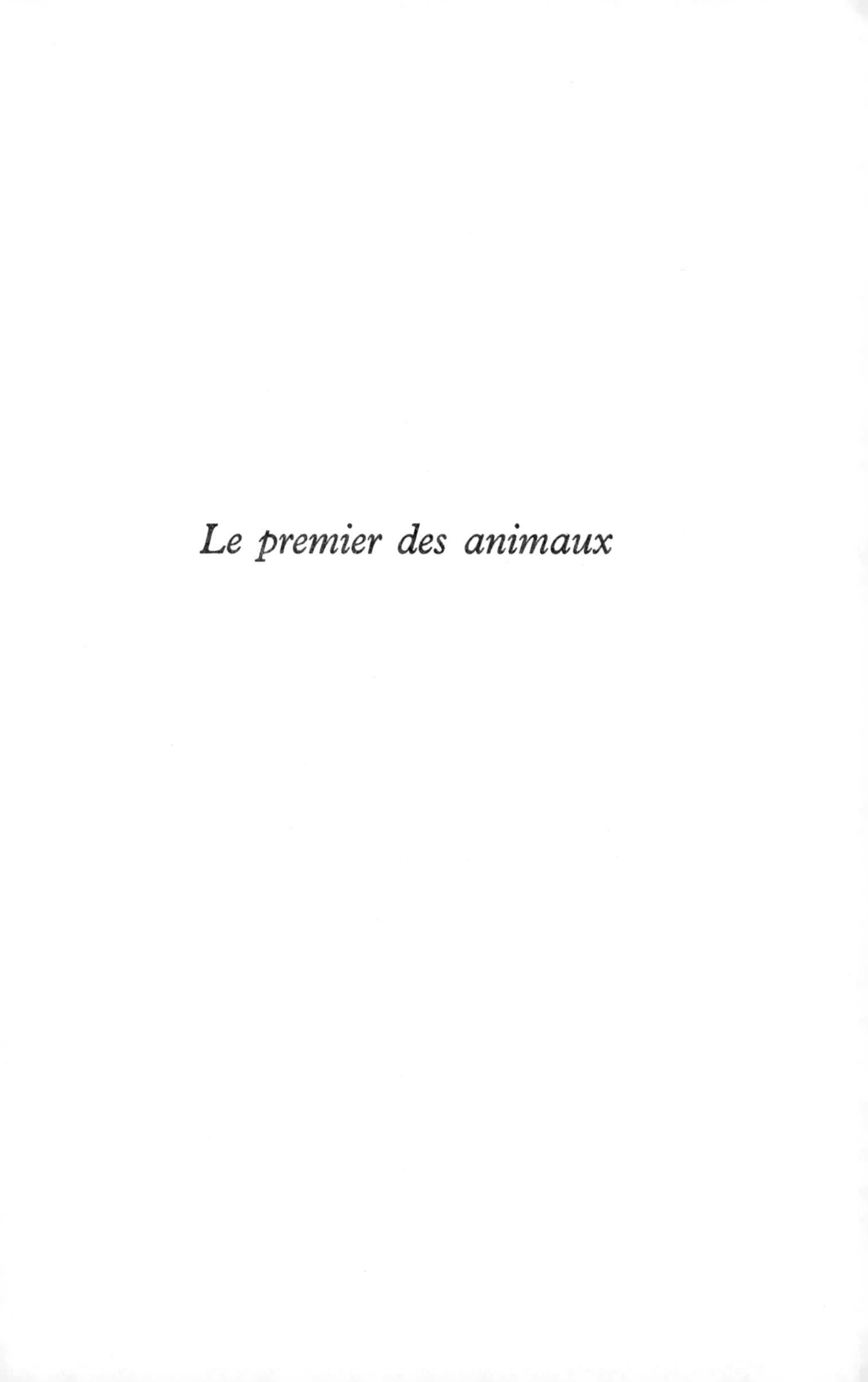

Le premier des animaux

Procession des dédoublés

Marie Celat s'était donc arrêtée au bord de ce gouffre où nous avons jeté tant de roches, dessouchées du temps. Peut-être regarda-t-elle plus loin qu'aucun de nous dans le gouffre. On suppose que si nous l'avons appelée Mycéa, c'est par manœuvre de détournement, tentative d'apprivoiser sous la douceur du nom ce qui chez elle nous paraissait si neuf et brutal. Comme si elle s'était fabriquée puis lustrée elle-même, prenant force dans ce regard, et nous laissant à nos balbutiements de façonneurs de mots. Elle trouvait licence de juger les mots. Nous étions pour lors transportés d'ouvrir au monde entier la part de terreau où nous poussions ; la guerre finissant levait un balan d'air, un désir fou de quitter tout et de voler là-bas : oubliant que le trou d'ici n'était pas comblé. Nous pensions avoir besoin d'oxygène, nous avions manque de terre. Et quand nous nous envolions comme des inspirés (passé cet examen d'entrée en sixième nous devenions des lettrés, des privilégiés du savoir, on disait de quelqu'un pour le situer ou le définir : c'est une personne de grande culture) et que nous commencions de délirer sur ce qu'on nous avait appris de poésie, exaspérant à l'extrême et nous portant volontaires dans l'armée toute pacifique des grands parleurs, elle s'acassait dans un coin et débutait par une de ces mélopées des mornes auxquelles nous ne résistions pas, après quoi le reste du chanter suivait. Nous l'estimions prosaïque, elle nous supposait naïfs. « Vous allez encore refaire le monde », plaisantait-elle, et ce fut peut-être là le début de cette habitude qui nous vint de nous séparer en groupes : les garçons traitant de l'avenir, les filles s'activant aux choses du jour. Marie Celat s'emportait par moments, à ce point de nous étonner, qui étions pourtant si prompts à monter en feu dans tout ce qui brûle. Par exemple quand elle courait les vidés d'élection, chantant la victoire et défiant l'ennemi, la robe en éclats par-dessus la tête, aveugle de sueur, la gorge cassée, aux limites de l'exténuement ; après quoi, terminée la course, elle attrapait n'importe qui par le cou, haletant qu'à quoi ça sert tout ça ? Il ne convient pas de nier qu'elle fut fascinée par Raphaël Targin, lequel perdit sa femme par la faute des deux chiens qu'il gardait chez lui, seul de tous à fréquenter de tels molosses. C'est que Thaël portait un air des bois ; et nous savions que Marie Celat était attirée par les hauts. Elle avouait qu'elle aimait à être perdue dans la nuit et à sentir le noir sur son dos comme une laine. Elle commençait donc à chanter, c'était sa manière de se mettre en retrait. Mathieu disait alors qu'elle était « en état de rupture ». Ainsi vécut-elle ce passage que fut notre jeunesse d'alors, un temps où toute métamorphose était possible, rien n'étant emboué comme aujourd'hui de ces agaceries de plaisir mort où nous coulons. Et bien plus tard, nous dûmes convenir qu'il nous avait manqué peu de chose pour aller vraiment au vrai, et que ce peu de chose dont nous ne pouvons estimer en quoi, où ni comment il s'était dérobé, nous devinions que Marie Celat dans son écart l'avait réchauffé entre ses mains. Elle s'éclairait jusqu'à paraître transparente, souple et déliée dans toute fiesta effrénée, quand d'autres fois, avec des gestes brusques et ces éclats de bras qui vous faisaient sursauter, elle s'entourait d'une ombre inapprochable. Nous n'en étions pas gênés ; l'allure de tous s'accommodait avec naturel des écarts de chacun. Et il se révélait que les transparences n'étaient pas son fait, qu'elle était opaque par nature, qu'elle ne se laissait pas voir et n'acceptait pas les questions qu'on égrène à propos des uns et de tous quand on prétend lier des semblants de communion. Nous n'avons posé aucune question. Si ses emportements nous effaraient, c'est que nous pensions qu'un tel feu était l'apanage des garçons. Elle criait, je suis une fille jusque sous la peau des pieds. Ses amies riaient, qui avaient appris depuis longtemps, comme toutes les femmes dans le pays, à laisser dire les hommes. Marie Celat ne laissait pas dire. Elle nous supposait donc, garçons et filles, naïfs : c'est dire qu'elle ne nous pressait pas souvent de sourires sceptiques ni d'observations décourageantes mais qu'elle s'arrangeait pour couler de loin dans notre enthousiasme, non pas moins exaltée qu'un autre, mais plus lointaine par moments et toujours plus soucieuse non de mots, mais d'un acte. Le pays était comme éclairé de ces ardeurs de l'après-guerre. C'était là une occasion de monter vraiment sur les mornes, de sonder le temps qui s'y était amassé, de regarder sur la mer vers ces autres îles dont nous ne supposions même pas comment leurs habitants les peuplaient. Mais nous avons choisi au lieu de cela, surexcités d'espace, de courir en imagination, et par consentement de tous, au loin de cette mer et de ses couis de terre. Marie Celat répondait à Mathieu : Nous sommes tous en rupture. Que voulait-elle supposer ? Sans doute que nous savions et que nous ne savions pas reconnaître ce trou qui nous séparait de tant d'obscurs réduits de la naissance et que nous tâchions pourtant de remplir de combien de roches, sans compter les cris poussés vers la terre quand nous dévalions nos vidés de Carnaval ou d'élection. Pourtant nous étions loin d'élire cette fille sage et le plus souvent mesurée en maîtresse de la parole. Quand cette agitation (l'irruption des nouvelles d'ailleurs, le jeu de passions folles des élections, les défilés et les discours) s'apaisa quelque peu, nous commençâmes d'apercevoir que Mycéa nous quittait imperceptiblement. Alors chacun se prit à rappeler comment elle nous avait conté ses premières visites à papa Longoué. Elle n'était pas, comme Mathieu, montée voir le vieux quimboiseur pour les besoins d'une affaire. Ni mère ni père ne lui avaient demandé d'aller consulter celui qu'en cette époque de pénurie absolue on avait accoutumé de considérer comme le dernier docteur, le suprême avoué, le confident et l'intercesseur. Mycéa un peu livrée à elle-même s'était retrouvée un jour sur ces hauteurs. Papa Longoué l'avait accueillie en prêchant : « La Marie des Négresses. Je connaissais la mère trouvée, je rencontre la fille perdue. » Mycéa s'était inquiétée de cette allusion à man Chimène. Longoué la rassura, précisant que dans ce pays les connaissances de la mère n'allaient pas à la fille ; que l'inquiétude et la souffrance seulement se transmettaient, mais que tu ne pouvais pas dessiner l'inquiétude dans ta tête, pas plus que toucher le fond de la souffrance. Il demanda des nouvelles de l'instruction, écouta longtemps les indications de Mycéa sur le Pensionnat de jeunes filles et sur les horaires de sciences naturelles. Il y avait entre eux une question à poser. Les bombes de margarine pleines de terre rouge et de charbon étaient rangées autour de l'emplacement devant la case, la plupart chargées des touffes d'à tous maux et de ces autres plants dont on dit que les maisons des quimboiseurs sont toujours entourées. Mycéa regardait partout, sans cacher qu'elle inspectait. Longoué demanda si elle cherchait la question. Quelle question ? La question qu'elle était venue poser. Elle n'était pour rien du tout, elle regardait la maison d'un quimboiseur. D'un Regardant. Bon disons qu'elle regardait la maison d'un regardant. Mais elle n'était pas la première ni la dernière. La première pourquoi, la dernière de quoi ? De ceux qui désirent savoir. Qui désirent savoir quoi ? La réponse à la question. À quelle question ? La question qu'elle était venue

« déposer ». Alors Marie Celat exaspérée dit qu'elle posait une question. En effet. Qu'est-ce que c'était que l'Odono d'enfance dont elle se souvenait encore vaguement ? Cinna Chimène de sa vie n'avait répondu à une seule question, elle en posait plutôt. Pythagore divaguait pire qu'un troupeau en débandade. Les temps n'étaient pas aux devinettes. Ça ne portait pas à conséquence mais pourtant. Papa Longoué raconta l'histoire des Longoué, ou ce qu'il en savait, ou ce qu'il en voulait raconter, ou ce qu'il pensait que Mycéa serait à même d'en comprendre. Répétant partout dans son conte qu'elle n'était ni la première ni la dernière. À la fin l'écoutante demanda si le père de Melchior avait été Odono. Le vieux quimboiseur resta longtemps silencieux, ils entendaient l'air ronfler sous les feuilles des makandjias, puis il confessa que non. Alors pourquoi chanter cette histoire, et où était caché Odono ? Il dit que toute histoire a un sens qui dévire par-derrière comme un chemin découpé, que Odono a son sens qui retourne par-devant comme la procession autour de l'église. Alors là, dit Marie Celat, l'ignorance fait des phrases. Alors là, dit papa Longoué, ce que tu ne connais pas est plus grand que toi. Mycéa redescendit plus obscurcie et plus lointaine que jamais. Elle affecta de croire qu'elle n'avait pas compris le langage de papa Longoué, qu'elle parlait un créole bien trop poli et ménager, ce que nous savions ne pas être vrai. Elle décida aussi que tous ces contes ne rimaient à rien, ce qu'elle savait ne pas être vrai. Et quand elle apprit que Mathieu lui aussi « consultait », elle cessa de monter sur le morne. Cet écart imperceptible, elle le creusa donc aussi par sa critique de nos « paroles ». « Ah la la » devint sa réplique favorite, dont elle intoxiqua ses amies. Les garçons avançaient leurs propositions folles, déclamaient leurs contes, entre deux haies de « ah la la » qui balisaient bien le chemin. Elle se rit de nos manies de surnommer toutes choses, et si elle acceptait les déguisements des noms individuels pour lesquels nous faisions preuve d'une imagination si fonctionnelle, précise, fine et déraisonnée (aujourd'hui encore il en est parmi nous, flandrins de plus de cinquante ans, dignitaires de loges de francs-maçons, élus du peuple, poètes tombés dans l'ailleurs ou fonctionnaires bien assis, qui de vrai – dans la vie et non pas dans le conte – se nomment (pour nous) Apocal ou Babe-Sapin ou Tikilik – Atikilik – ou Godby ou Totol, le seul Prisca ayant échappé à cette pratique, pour la raison que son prénom de baptême se suffisait à lui-même en matière de surnom), elle récusait ferme que nous n'appelions pas un manicou un manicou, et le Lamentin, le Lamentin. Mais il faut dévaler ce temps-là, même si les plus prononcées de nos nostalgies – de nos inquiétudes – y prennent ainsi leur source, dans les silences de Marie Celat. Disons qu'elle ne se taisait pas quand il s'agissait d'affaires sérieuses, les luttes des ouvriers agricoles en premier lieu. En marge du carnaval des élections, il y avait toujours des gens de la canne pour se faire fusiller devant les usines ou dans les rues des bourgs. Mycéa prononça une des premières conférences publiques sur l'organisation du syndicalisme paysan. L'espérance innommable grandissait, que les lois de France juguleraient les békés. Ce quelque chose qui s'était dérobé (en nous et autour de nous) emportait et aveuglait. Marie Celat jouait une partie incalculable. Elle se gardait d'enfoncer plus avant dans « la question » : et c'était en renforçant à outrance ce qu'il fallait bien nommer son scepticisme ; par exemple en détaillant la liste des combattants qui avaient trahi. Le pays est trop petit, nous allons exploser dedans. Hiéronimus (à la fin, précisait-elle, de ce que nous savons maintenant avoir été le siècle dernier), le plus éminent de notre sorte qui se fût présenté pour être élu député à Paris. Les chevauchées, les dimanches de gloire, les embuscades préparées par les békés, la maison barricadée où il soutint un siège de quatre jours, les gouverneurs qui envoyaient la troupe ramasser les urnes. Cette occasion où ils le surprirent chez une de ses maîtresses, et il se cacha dans une jarre et s'enfuit ensuite déguisé en femme, pour revenir avec la foule qui le portait. Une jeune béké recevait alors un journaliste arrivé de France et lui confiait : Vous ne savez pas, monsieur, ce que sont ces gens-là. Tenez, en 1848, alors même qu'on les libérait, ils se livrèrent à de telles atrocités qu'une de mes arrière-grand-tantes s'enferma épouvantée dans un galetas. On a prétendu qu'elle était folle. En vérité elle craignait pour sa vie et son honneur. Nous ne sommes pas des dégénérés. Mais ce Hiéronimus, je vous gage que nous l'achèterons. Ils sont ainsi faits, monsieur qui prenez leur parti, je vous en tiens le pari. Et Hiéronimus avançait, accompagné de son second, Vitorbe. Les ouvriers agricoles endimanchés déployaient leurs vestes blanches dans la poussière rouge devant lui, et il passait sur son cheval dans ce chemin de lumière ; ils rapportaient chez eux avec les vestes d'alpaga les marques des fers du cheval. Ce même Hiéronimus qui un jour entra dans l'étude du notaire des békés, en ressortit pour monter aussitôt sur un des premiers bateaux à vapeur en partance pour l'Europe. Vitorbe qui l'accusa publiquement, le dénonça comme trois fois renégat et traître. Vitorbe dont on disait que sa force résidait dans les Puissances qu'il dominait à merci. Vitorbe avocat, comme Hiéronimus était directeur d'école, comme Pamphile serait docteur, tous Nègres à talents séparés des Nègres de houe. Vitorbe qui recevait ses visiteurs en faisant mine de les avoir vus avant qu'ils fussent arrivés, parce qu'il avait disposé des guetteurs qui lui signalaient ceux qui montaient vers la maison fortifiée (on disait : « protégée ») où il résidait. Vitorbe le maître des quimbois, que les békés tentèrent dix fois d'assassiner. C'est inutile, disait la dame, maintenant entourée de ses filles, il suffit de l'acheter, tout homme a son prix, toute bête est à évaluer, ces gens sont à mi-chemin de l'homme et de la bête. Les gouverneurs envoyaient leurs tirailleurs mettre de l'ordre dans les échauffourées dominicales ; les vendeuses d'acras, les charroyeuses de tuf, les porteuses de sacs de sucre, les poissonneuses du marché faisaient à Vitorbe une muraille de leurs corps. Il voyageait à dos d'hommes, d'un bourg à l'autre. Ce Vitorbe qui un jour trafiqua ses urnes, non en vue d'une victoire dont il était assuré, mais pour permettre la nomination de son adversaire, un homme de l'Usine. Après quoi il renonça au barreau comme à la politique, entra, directeur et actionnaire, dans la *Banque des Petites Iles*, la banque de l'Usine. Il fallut faire protéger sa maison pendant des mois par les forces de l'ordre, car il fut vilipendé en public par Pamphile. Pamphile qui devint le duelliste du peuple, et que *l'Écho des Colonies* dénonçait comme un bretteur de bas étage. Qui, souffleté par un adversaire, dut menacer de tuer crûment celui-ci avant d'obtenir pour la première fois qu'un colon tirât en duel contre un mulâtre. Et il gagna tous ses duels, malgré les balles en argent ou les fleurets « chargés » dont ses opposants se servaient, comme il remporta toutes ses élections malgré l'or versé, les gendarmes aux ordres, les urnes truquées. Les femmes lui offraient leurs filles, pour l'honneur d'avoir plus tard « un descendant Pamphile ». Jusqu'au jour où la vieille dame, délicieuse et fine dans ses accoutrements surannés, persuada enfin son gendre (lequel par miracle ou filouterie d'envergure avait pu renflouer l'usine, la plus grosse du pays) que les habitudes et les méthodes gagneraient à être changées, qu'il ne devait plus se croire à Panamá ou au Venezuela, et qu'il fallait la laisser agir. Sur quoi elle convia Pamphile à un tête-à-tête sous la véranda de la grande maison (même pour un siège de député elle n'eût pas consenti à le recevoir au salon, il n'alla pas plus loin que le vestibule), tous deux assis dans des berceuses, à boire de la citronnade rafraîchie et à grignoter des petits pains nattés beurrés de crème de lait au sel : lui représentant qu'il était presque un des leurs, qu'à les voir là les deux on s'y serait trompé, que ces querelles étaient tout bonnement ridicules, dommageables pour chacun, qu'elle escomptait bien qu'un jour, la paix revenue, elle le recevrait à dîner dans la grande salle à manger, qu'il consentirait en gentleman à procurer ce suprême plaisir à une vieille personne déjà si éloignée des vanités d'ici-bas. La fin d'après-midi était délicieuse, les berceuses crissaient doucement, l'hôtesse s'éventait avec des grâces qui paraissaient de délicates invites. Et le seul espoir de ce dîner (qu'il ne mangea bien entendu jamais) fit sur Pamphile plus qu'aucune balle enchantée n'aurait pu faire. On continua pour l'apparence à lui opposer des rivaux en politique, mais il touchait chaque année les dividendes de ses actions secrètes sur l'usine ; et il ne se battit plus en duel, quand il revenait au pays, que pour des affaires de cœur. Attendant jusqu'à la mort de la vieille dame, et peut-être au-delà, d'entrer dans cette salle à manger avant de passer au salon fumer ce délicieux cigare. Marie Celat riait à gros bouillons en détaillant une telle Chronique. (Mais il y en a combien qu'ils ont tués, murmurait Mathieu.) « Tous au nom de la république, tous criant à la Grande Patrie et à la démocratie, tous partisans de l'évolution et du bien-être. » « Quand je pense à man Chimène, quand je pense à Pythagore ! » Nous voyions avec elle, mais non pas du même regard (car elle était ainsi passée du scepticisme à la lucidité à la pitié en ce seul moment, et nous ne le savions pas), Cinna Chimène qui allongeait ses pipes de terre au-devant d'une question insondable, Pythagore qui s'évertuait à la croisée après un roi dont le zombi l'appelait aux quatre directions. Disant : « Man Chimène et Pythagore », non parce qu'il s'agissait de ses père et mère, mais (comme nous ne l'avons compris que bien plus tard) parce que ni le scepticisme ni la lucidité n'auraient pu remplacer pour elle ce sentiment du malheur, non, de l'insécurité, dont elle savait à cette heure, et en toute pitié pour ses géniteurs, qu'elle avait hérité. Pensant peut-être qu'elle était de force à résister, qu'elle tenait en partage au moins ce semblant de connaissance et cette ardeur d'audace qui permettent de résister, là où ils n'étaient (Cinna Chimène les reins encore cambrés debout comme dans une ligne de cannes six mètres derrière les coupeurs, Pythagore sémaphorant au milieu des voitures plus dru qu'un glycéria en plein cyclone) que les élus de l'inquiétude, désarmés, jetés là par tant de questions qui n'ont pas été posées, qui n'ont fait que survoler cette terre pour, du haut de leur obscurité, désigner leurs victimes. Ce sentiment partagé l'avait par paradoxe maintenue à l'écart et de l'un et de l'autre, l'ayant privée dès sa naissance de toute espèce de désir de filiation et la laissant ainsi combien seule à mener cette partie. Disant : « Man Chimène et Pythagore », s'il se trouve pour souligner qu'elle ne se sentait en commun avec eux que tant de questions qui les avaient si piteusement meurtris, et non pas les rapports d'une fille à ses père et mère. Mais elle courait encore à l'époque sur les traces de Pythagore, s'inquiétant des ennuis qu'il aurait pu causer, des accidents qui le guettaient sur les routes. Elle achetait le tabac de man Chimène, les grosses feuilles à hacher qui disparaissaient peu à peu des comptoirs des boutiques. Après les Madi et les Nina de la période d'occupation vichyste, tout le monde désormais voulait fumer les Duc d'Alys et les Lucky. Cinna Chimène ni Pythagore ne demandaient quoi que ce soit ; ils étaient l'un et l'autre d'une gentillesse attentive avec Marie Celat, comme s'ils s'étonnaient chacun à part soi d'avoir engendré une telle créature. Leurs rencontres (Marie Celat et Cinna Chimène, Marie Celat et Pythagore) se déroulaient sur le même ton à la fois solennel et familier. Les conversations portaient sur des bêtises, l'allure des mots était calme et neutre, il y avait là quelque chose qu'il ne fallait pas réveiller. Les six frères de Marie Celat s'étaient volatilisés on ne savait où, et de même étaient-ils tout aussitôt sortis de sa pensée. Mais elle eut une crise de larmes le jour où elle rencontra celui d'entre eux qui s'était réinstallé dans la case de Pythagore et y était devenu peu à peu alcoolique. Elle l'injuria comme elle savait faire, lui reprochant de laisser pourrir des tapis d'oranges sous les arbres, les meilleures de l'endroit, et d'acheter pour ses enfants on ne savait avec quoi des caisses d'une insipide boisson gazeuse vaguement orangée arrivées droit de Bordeaux. Il demanda si les boissons en bouteille étaient réservées aux gens des villes. Et si elle ne voulait pas venir s'occuper des oranges. Elle l'injuria encore, prétendant que ces caisses de potion servaient aussi à camoufler d'autres achats, le rhum à cinquante-cinq degrés dont il abusait. Un bout de terre ne donne pas toujours une famille. La seule parente de Mycéa, si l'on ne compte la mère de Mathieu, était man Totime, qui à vrai dire était parente de tout le monde. Totime s'était encombrée de tant d'enfants qu'elle ne trouva jamais le temps d'en faire elle-même. Elle s'en estimait plus active et, comme elle disait, « plus permanente ». Mais elle entrait volontiers au bon moment dans la chambre de sa nièce et de son neveu, pour le plaisir frissonnant de confier ensuite à son amie manzè Céline : Ha Céline ma chè, yan lodè linpirté ! – après quoi elles restaient là rêveuses baignant dans cette odeur d'impureté qu'elles n'avaient jamais voulu connaître par le début. Totime n'avait donc pas banni au moins de son odorat la fréquentation des hommes. Elle craignait avant toutes choses que sa petite chienne, qu'elle avait nommée Vénus, fréquentât les bandits errants du quartier. Aussi chaque matin lui passait-elle avec précaution un chiffon mouillé d'essence sous la queue, pour éloigner les maraudeurs et les fauteurs. Jusqu'à la fois où, ayant délégué ce soin à une filleule qu'elle avait adoptée, une négligente à coup sûr, et se trouvant à cancaner avec Céline, un des petits malappris qui traînaient dans les rues, pas plus de six ans ma chère, se précipita dans la pièce pour crier que, manzè Totime, manzè Totime, voici que Vénus était en panne d'essence et qu'elle faisait le plein avec le grand chien-loup de la gendarmerie. À soixante-cinq ans, man Totime se découvrit un prétendant, maître Isidore, qui en avait soixante-sept. Elle requérait Marie Celat pour servir de paravent, que les amoureux ne cèdent pas au péché de chair, pendant les longues séances où ils se donnaient de leurs nouvelles. Maître Isidore était Totime au masculin. Il avait vieilli près de sa mère, à présent centenaire, qui tenait son ménage et lui faisait la toilette. Commis de magasin sur le bord de mer, il s'était amenuisé jusqu'à ressembler à ses colonnes de chiffres, dont il avait le ton à la fois sautillant et définitif. Marie Celat consentait à ce théâtre : elle fut présente aux fiançailles, tenant la main de man Totime, et prépara les fêtes du mariage. Au soir de la cérémonie, l'épouse épouvantée s'accrochait à elle, chuchotant : pa kité moin, pa kité moin ; répétant convulsive : man pè misié-a. Il fallut la raisonner, lui représenter que les époux désormais se devaient l'un à l'autre, et tout ce qu'on raconte dans ce genre de circonstances. Maître Isidore ne valait pas mieux, qui avait abusé du rhum blanc, du quinquina des Princes, des liqueurs au shrob, sans doute pour activer son courage. Ce qui fait qu'au lendemain, quand les curieux accoururent pour estimer (en douce) la satisfaction des nouveaux mariés après la nuit de noces, ils se heurtèrent au silence hautain de man Totime. Elle fit confidence à la seule Marie Celat, avouant que « le monsieur » avait été malade, pris de vomissements et de délires, qu'elle avait passé une moitié de la nuit à nettoyer, à asperger partout avec de l'eau de Cologne, à frotter « le monsieur » au bay-rhum, à lui faire respirer du tafia camphré ; que pendant l'autre moitié, malgré ses efforts et sa bonne volonté, « le monsieur » avait avec obstination marqué six-heures-et-demie, sans le moindre petit signe de redressement, alors qu'elle aurait tant souhaité un sept-moins-le-quart bien pointé, ah ma chère ma chère tous les hommes sont des malfaisants. Marie Celat riait, approuvant : Ça c'est bien vrai, on peut aussi dire des pasfaisants du tout. Man Totime donnait alors à Mycéa toutes sortes de conseils sur la fréquentation des hommes, trouvant qu'elle pratiquait trop librement Mathieu. Les jeunes gens d'aujourd'hui n'ont de respect pour rien, méfiez-vous de celui qui court la rue. Ah non Totime tu ne vas pas me passer à l'essence, criait Mycéa. Celle-ci entendait raffermir sa volonté de s'écarter de nous en fréquentant très assidûment des personnes de l'ancien temps, mais nous étions aussi empressés qu'elle à écouter man Totime raconter comment dans sa jeunesse elle descendait en deux jours (par quels chemins, rencontrant qui, pour quoi faire) de Sainte-Marie au Saint-Esprit, s'arrêtant chez sa cousine à Saint-Joseph, pour dormir. Ça faisait beaucoup de saints. Marie Celat tenta une autre échappée, ce fut sa retraite chez Lomé. Le prétexte en provint de quelque désagrément de sentiment, soit avec Mathieu soit par rapport à Raphaël ; comment ne pas voir que ce prétexte fut mince au regard de ce qui se jouait. Mycéa cherchait une case, une fosse d'igname, un four à charbon. Lomé, sa femme, leurs enfants, ne comprenaient pas bien ces élans ; ils furent pourtant, comme à l'accoutumée dans les campagnes, d'une politesse cérémonieuse. Ils avaient à faire dans leurs journées, la nuit tombait raide, les veillées étaient rares. Ce fut un moment de bienheureuse quiétude, tout à fait vacante et peu sonore. Rien ne bougeait par-dessous. En la seule Marie Celat s'accumulait le tourment ; en la seule que nous connaissions. Nous qui étions si sûrs de nos tracées étincelantes, nous la vilipendions quand, retour de chez Lomé, elle affirmait que les sauvetages valaient pour chacun, qu'il n'y avait pas de champ commun, que le passage était d'un à un, de roche en roche sur la rivière. Nous pensions qu'il s'agissait là d'accès d'humeur, comme on en connaît tant dans un pays où en effet pas un ne retrouve dans son passé proche ou lointain quelque raison que ce soit de vivre avec son voisin. Mais Marie Celat était allée plus loin qu'aucun de nous dans quelque lointain qu'on imagine, c'est pourquoi elle criait contre tous la procession de ces anathèmes de reniement, qui étaient des cris d'amour. C'est aussi pourquoi elle s'arrêtait au bord de quoi que ce fût qui menaçait de ressembler à une mesure ou à une démesure d'amour ou de ce qu'elle estimait être tel, reculant alors dans des parages désolés où pas un, hormis Mathieu peut-être, n'était en mesure de la suivre. Nous ne soupçonnions même pas qu'elle se retirait ainsi dans un ailleurs. Elle mettait tant de prudence à cette manœuvre que nous nous contentions de rire en opinant qu'elle était acariâtre. Mathieu souriait doucement, disant vous vous trompez les amis. Ainsi allèrent les choses, pendant que le pays descendait le morne. Les grands transatlantiques lents, comme suspendus dans un temps qui ne finissait pas, furent remplacés par les latécoères jaillissants puis par les avions à réaction de plus en plus rapides et bondés : nous nous satisfaisions de nous y enfourner, pour la seule destination édénique : de la métropole. La terre devint claire et rase, les usines fermèrent, les grandes surfaces s'affalèrent fourmillantes sur leurs terre-pleins de goudron, les routes étaient couvertes des marques de peinture laissées par les chauffeurs furieux après les accidents inévitables. Marie Celat, un soir que nous déambulions, lorgnant par les persiennes dans les semblants de salons qui n'avaient pas encore été renfermés sur eux-mêmes, s'écarta de notre groupe et prononça cette parole incompréhensible, qui fut plus tard l'occasion de combien de discussions savantes : « À quoi bon regarder dans un salon, si tu ne sais pas regarder dans la nuit ? » Elle était si doucement farouche, plus que la fleur des champs ; nous étions tous ses hommes voués.

Inventaire des outils

« Mathieu Celat », c'était Mathieu Béluse. Bon. Nous le nommions ainsi pour le plaisanter sur ce que nous estimions être sa faiblesse envers Mycéa. Ce n'était pas faiblesse, mais une manière d'appréhension divinatoire. Mathieu était ainsi fait (sa pensée, toujours étendue vers des confins, soutenant la bordée du temps qui roule) qu'il pressentait en Marie Celat plus qu'une retenue de jeune femme incertaine de son avenir. Les longues séances chez papa Longoué le renforcèrent dans cette disposition. Il en éloigna (sans l'avoir voulu) Mycéa elle-même, mais ce fut sans doute pour mieux l'approcher. Le vieux quimboiseur faisait le trait d'union entre eux. Il reste que Mathieu produisait en idées ou en mots ce que Mycéa gardait au plus intouchable d'elle-même et défoulait par bouffées en grands balans de vie exagérée. La remontée dans *cela* qui s'était perdu : comment une population avait été forgée, à douloureuses calées de Nègres raflés et vendus, traités nus sans une arme sans un outil à emporter ; comment, venue de tant d'endroits divers et tombée là (ici) par les obligations du marchandage et du profit, elle s'était accroupie sur elle-même et avait perduré ; comment elle avait, à partir de tant de mots arrachés ou imposés, sécrété un langage ; comment elle s'usait, pour tant d'outrages subis, à oublier. Marie Celat et Mathieu

Béluse, sans se le dire, allaient ensemble au fond de cet oubli. Mais à mesure qu'ils avançaient ils s'écartaient l'un de l'autre. D'où leur passion. Car ce qu'on devine en idées ou qu'on expose en mots devient tellement étranger à ce qu'on accumule en soi comme roches. Plus Mycéa et Mathieu se trouvaient d'accord, plus ils s'estimaient insoutenables. Marie Celat en particulier ne supportait pas d'entendre « discuter ». Elle déclarait craindre les théories bien plus que les fièvres dont les épidémies (typhoïde ou paludisme) avaient ravagé naguère encore la plaine du Lamentin. Vos discours sont comme la farine qu'on distribuait à l'hôpital, il fallait trier les mites avant de mettre à cuire. Et, pour obtenir qu'on changeât de sujet, elle imitait les énormes maringouins qui avaient été nos compagnons d'enfance. Tout le monde en était excédé ; elle y trouvait bien du plaisir. Nous supposions que si, en faveur de Raphaël Targin, elle faisait exception à ses dénigrements, c'est parce que celui-ci ne parlait pour ainsi dire jamais, qu'il avait été le seul à connaître la Lézarde dans tous ses détours, depuis ce qu'on en croyait être la source jusqu'à Jonction où elle rencontre la rivière Blanche, et descendant jusqu'au Pont Vert où nous nagions parmi les sangsues et d'où tu voyais là sur ta tête les cheminées de l'usine, et au-delà jusqu'au delta encombré de mangroves où les mantous prospéraient de si belle façon pour les mangers du lundi de la Pentecôte. Entre ces trois-là, Marie Celat, Mathieu Béluse, Raphaël Targin, il ne se passa rien de damnable. Après avoir tué ses chiens, Thaël disparut sans avertir. On apprit plus tard qu'il était employé à Châteaudun en France. Mycéa en eut un éblouissement. Elle cria que vous voyez, vous prenez de grands airs, vous débitez le monde en morceaux nets, vous distribuez le maïs jaune et le riz rouge, pour à la fin filer en douce comme des malvenus. (Mathieu plaisantait : les malvenus ne filent pas, ils viennent.) Je ne veux pas partir, le pays n'est pas perdu, ce n'est pas vrai de vérité. Mathieu montrait que la poursuite de la connaissance entraîne au loin. Ce n'est pas vrai de vérité. Elle évoquait à l'avance : restaurateur dans les Pyrénées ou professeur à Concarneau, recevant avec allégresse son colis de rhum blanc, de citrons verts et de piments ; décrivant à un auditoire trop crédule les plages blanches du Sud et les fougères géantes de la Trace ; s'entendant complimenter après combien d'années : vous savez vous n'avez pas du tout l'accent des îles. Mathieu Béluse et Marie Celat se trouvaient d'accord quant au fond. Mais Mycéa ne régentait pas les choses avec des mots, elle sentait dans son corps que ce directeur d'école n'avait pas cessé de tenir son discours. Elle en voulait à Mathieu. De ce qu'elle avait par elle-même compris et dont elle n'acceptait pas qu'il le traduisît en paroles. À mesure qu'elle subissait le pays, sa lente absorption dans la vie neutre et blême, elle quittait celui dont la voix résumait cette vie. Se rapprochant des arbres et des gens, comprenant leur longue usure et refusant ce déclin, elle répudiait sans le savoir le seul être alentour avec lequel elle eût pu partager ce refus. Il fallait quitter ce temps des Plantations et Marie Celat était prête à plonger dans la platitude irréparable, sans récriminations inutiles, quand Mathieu Béluse s'accrochait encore au rêve d'avant, fuligineux et incertain. Ni les amis ne pouvaient les aider, ni les organisations ou partis politiques les satisfaire ou les apaiser. Mathieu entraîna Mycéa une dernière fois vers papa Longoué, malgré les résistances qu'elle opposa. Longoué, abandonné du temps, incompris de ce qui gagnait là comme une gangrène en surface : les agents de la fonction publique, les voitures à crédit, la Lézarde tel un filet de boue au long de la piste d'atterrissage. Il battait des lèvres, sans paraître les avoir remarqués. Regardez que tout va pour tarir quand tu descends, que tout va pour brûler quand tu montes. Regardez que vous êtes né dans l'impénétrable originelle où l'arbre est mélangé à l'arbre sans pouvoir de séparation, et si vous tombez dans les ans qui succèdent, et faille que vous gagnez votre vie, et pour payer votre habillement, alors vous dégringolez du noir d'en-haut à toujours plus ras et plus plat, canne, banane, ananas, jusqu'à Volga Plage où sont rassemblés les retours de la souffrance. Marie Celat, descendant ainsi avec Mathieu et papa Longoué ce chemin du désherbement, se sentait enlevée loin de la vie et des bords du jour, criait dans sa tête que tout n'avait aucun sens. Elle éprouvait ce trou au-delà duquel nul n'étendait sa pensée, où elle avait pourtant regardé, même si elle ne le remplissait pas d'un enfant étouffé, d'une bouche bourrée de tisons. Ce trait d'union ne fonctionna pas ; Longoué les avait abandonnés à loin-dans-l'avenir. Ils revinrent donc au temps présent. Mathieu demandait à Marie Celat (quittant le vieillard rusé, lequel attendit qu'ils fussent au loin pour crier soudain que la fille perdue allait se trouver dans sa nuit, mais que ce ne serait pas sous un pied de quénettes) si elle avait décompté les gestes que plus personne ne faisait, les mots morts, disparus avec les gestes ? Il y en avait tellement que ce serait bientôt une spécialité profitable que d'avoir à les dénombrer. Mathieu Béluse commençait au plus loin et détaillait la liste. Marie Celat l'interrompait (« Ah la la »), voulant dire que partout dans le monde il en allait de même et que la chose ne valait pas d'être énumérée comme un évangile. Savons-nous encore à qui sert de pouvoir défricher un terrain, se battre avec la souche, brûler en immondices, déraciner pour ouvrir une habituée dans l'indistinct originel des bois ? Respirer dans l'air pour tâter la ouate du temps et dégager, les mains chantantes du limon gras où courent les fourmis, une source ? Tailler la pierre à filtre, mesurer la couche de charbon pilé, pour recueillir l'eau à boire ? Baliser de tronçons de banane l'emplacement où allumer, avec les deux trous aménagés pour le tirant d'air, la profondeur soigneusement étagée puis terrée d'un four à charbon ? Et, en matière de profondeur, calculer le trou, disposer les plants sur une couche d'herbes, pour monter une fosse d'ignames ? Et, après avoir traité la pulpe et extrait la moussache et la mauvaiseté, chauffer la platine pour grainer un bon manioc ? Tailler à la ligne les supports, assembler en tenons, tresser les gaulettes d'une case ? Calculer un bambou pour perpétuer la fumée d'un flambeau ? Tanner ces peaux qu'aujourd'hui on enterre près de l'Abattoir départemental, ne sachant plus qu'en faire ? Cercler un tonneau qui roule à grand bruit sur toutes sortes de roches ? Tourner un de ces lits à colonnes que nous échangeons contre du bois plastifié, pour le profit de collectionneurs venus de partout ? (« Ah la la ») Repérer un gogo, qu'est-ce qu'un gogo, y a-t-il encore un seul gogo, l'oiseau qui ne boit pas dans les rivières mais seulement sur les feuilles des arbres et qui chante quand le temps sera mauvais ? Ah la la, écoutez, c'est partout pareil dans le monde, partout des gogos, du malheur à gogo, la misère à gogo, mais regardez cette usine flambée neuve abandonnée, voilà la chose, où sont tes outils, tes machines, tes ingénieurs, ce qui remplace ta raclette à manioc et ton bouchon à flambeau ? Ils passaient, suivant la route, devant cette usine flamboyante inutile qu'on appelait pour lors la Chambre de Chérubin. Les propriétaires l'avaient fait bâtir mais n'avaient jamais jugé bon (ou désiré) de la faire fonctionner. Sans doute était-il plus profitable d'encaisser quelque rente pour la maintenir fermée ? C'est du moins ce qu'on se disait en longeant plus loin l'agitation effarée d'un supermarché lui aussi tout neuf et grouillant de vie morte. Chérubin depuis des temps couchait dans l'usine abandonnée. Les plaques de tôle étincelaient à la lune ; l'homme tapi dans un recoin regardait l'ombre engloutir les machines. Mais la haute construction n'était jamais noyée dans la nuit, la toiture diffusait la clarté du ciel. Le locataire clandestin avait aménagé un grabat entre deux turbines, découvert un bac d'eau propre, balayé un coin pour y étendre ses habits. Il était traqué en permanence par toutes qualités de police, en bleu ou en kaki, dont une des premières attributions était de le ramener à l'hôpital d'où il partait sans cesse. Aucune police n'avait repéré son logis d'adoption. Aussi pouvait-il à son aise y jouer les ingénieurs tout-puissants. Il dévalait ces piles enchevêtrées de rouages, de bielles, de pistons, cabriolait d'une coupée à l'autre, épuisait (jusqu'à ce qu'il appelait leur ultimité) la théorie des machines désertées, luisantes de graisse et de rouille mêlées. Le tapis roulant, le coupe-cannes et le schreder, les moulins à pression, les tamis, les cuves, le réchauffeur, les bacs à chaulage, les circuits Dorr, les filtres Oliver, les continus à triple effet, les cuiseurs pour le grainage, les malaxeurs, les turbines centrifuges, dont il déchiffrait les inscriptions mystérieuses sur les plaques de simili-cuivre vissées un peu partout. Les courroies de transmission traînaient çà et là. Chérubin se suspendait à celles qui tenaient encore aux grosses roues dentées. Il jouait à Tarzan dans la jungle. Il grimpait à la plus haute passerelle où, auréolé d'infinies toiles d'araignée phosphorescentes, saint Chérubin ravi en extase par l'indicible machine, il tenait discours à son peuple d'engrenages, de rigoles, de rails. Ou bien il était brasse de cannes, glissait par le tapis, mimant d'être concassé dans le schreder, broyé, laminé, cuit, filtré, grainé au long des machines, le corps en extension, en boule, en tas, et il ressortait roulant à l'autre bout, sucre vivant hurlant. Chérubin fait sa messe, dit Marie Celat, le poisson-chambre à cette heure est une chaudière éventrée. Il voit dans le dedans du poisson, plus clair que les noirs profonds. « Ô poisson poissonné, do dans do et tomb sans tomb. Qui l'eût cru ? Nul n'eût cru. Plante-moi dans le jardin, ô grand boudin transatlantique. » Mathieu Béluse continuait le rond de son discours. Traitant des éoliennes ou de quelque autre manière d'utiliser le vent. Marie Celat n'entendait que ce vent qui battait dans sa tête. Ce vent venu du plus loin, qui déracinait les mots et fouillait le grand silence. Elle voyait le fond d'une mer, le bleu sans mesure d'un océan où des files de corps attachés de boulets descendaient en dansant ; et quand elle fermait les yeux elle descendait avec les noyés dans ce bleu où pas une fente ne s'ouvrait, sa tête plus lourde qu'un boulet l'entraînant vers le bas ; et si elle ouvrait bientôt les yeux sur les cases en pilotis des deux côtés de la route, comme aussi sur la voix de Mathieu qu'il lui semblait véritablement voir, tout, alentour d'elle, avait pris la couleur de ce bleu, mais traversé d'éclairs verts comme l'eau en surface sous le poids du soleil. Les mots de Mathieu étaient bleu-indistinct, ils emplissaient tout simplement l'espace. Marie Celat baignait souvent dans ce champ sans limite, en sorte qu'il lui arrivait d'oublier ce que nous appelons le temps. Non qu'elle fût distraite ni maladroite dans ses entreprises ; bien au contraire. Sa précision de manières nous surprenait toujours, et la saccade gracieuse de ses gestes. Mais elle ralentissait son corps d'une façon tout aussi imprévue, s'arrêtait longtemps près d'une table, au coin d'un couloir, au bord d'un chemin, comme devant une ravine ou un précipice. C'est la faute à papa Longoué, accusait-elle, on n'a pas idée de faire venir les gens pour ne rien leur dire, il est perdu dans toutes ces années qu'il n'arrive pas à débrouiller, il nous coule dedans, où vas-tu chercher un quimboiseur aussi impotent ? Ainsi le vieillard visionnaire, dont le regard était tout tourné vers un pays qu'aucun de nous ne détaillait, et dont la ruse était de paraître s'éloigner si visiblement de nos absurdités de chaque jour, n'avait pas échappé aux dénigrements de Marie Celat, laquelle ne récriminait jamais tant qu'après les personnes qu'elle estimait ou vénérait. Il m'a volé tout ce temps, et voici que par endroits je ne sais plus même le quantième du jour, le chiffre de l'année, ni si Noël est déjà passé. Mais, comme si elle avait d'un bond franchi la distance jusqu'à la case entourée d'à tous maux, de roucou et de laurier, pénétré dans son épaisseur pour sonder le souffle en gravier qui cascadait du grabat, elle fut la première à crier : « Arrêtez, arrêtez, papa Longoué est à l'agonie. » Aidant le mourant à accueillir les visiteurs silencieux venus d'au loin, puis sortant au jour et cueillant une branche de n'importe quoi, pour saluer le plein soleil. Les visiteurs silencieux qui n'étaient pas les voisins ni les vieilles femmes du quartier toutes dévouées aux prières des agonisants mais les esprits des ancêtres abandonnés, qui avaient traversé une dernière fois la surface des eaux profondes pour effleurer de leur ombre le transplanté. Nous n'avons jamais su au juste si Marie Celat et Mathieu Béluse, pour respecter l'idée de papa Longoué, se sont mariés. Nous l'avons publié partout, sur la foi de ce qu'ils dirent. Mais il n'est pas énorme de penser qu'ils simulèrent par plaisir les avatars du mariage, allant peut-être jusqu'à acheter, elle une robe, lui un costume, pour mieux nous faire croire à la chose. Poussant jusqu'à se donner rendez-vous officiel, ainsi endimanchés, dans le hall de la mairie au jour des mariages, où on put donc les voir entrer, où ils assistèrent à quelques-unes de ces célébrations, en invités ou en témoins attentifs. S'embrassant à la sortie comme s'il y avait là un photographe. Et peut-être qu'ils nous convièrent à un dîner compliqué, au soir de ce prétendu béni-commerce. Nous devinions que ces deux-là s'épiaient par connivence, refluaient loin l'un de l'autre, poussés par la même force. Le fait est qu'ils eurent une fille, Ida, dont nous rêvions tous d'écrire (de conter) l'histoire à venir et qui nous transportait, un peu à cause de sa mère, beaucoup par elle-même. Elle nous fut enlevée par la grand-mère paternelle, qui voulut « assurer son éducation ». Cette circonstance, qui les maintint dans la vacance de la jeunesse, contribua s'il se trouve à la séparation de Marie Celat et de Mathieu Béluse. Celui-ci était là un matin, le soir on le disait déjà rendu à Paris ou Bordeaux. Papa Longoué entre-temps était parti du côté des ombres irrémédiables. Marie Celat, pensant à Pythagore et à Mathieu, répétait tranquille : « Ou bien je quitte mes hommes, ou bien ils me quittent. » En ces périodes où elle éprouvait que nous l'observions, elle saccadait encore plus ses gestes pour nous surprendre davantage. Elle organisait autour d'elle, dans sa maison et où qu'elle allât, une telle pagaille dans un tel laisser-aller que l'observateur intimidé en restait pétrifié sans voix, n'osant croire que cette puissance de désordre fût délibérée. Marie Celat cherchait. Elle traversait des bouffées d'absence, ses égarements. Le chaud du soleil courait sur le feu de sa peau, il en résultait des étincelles d'un froid intense inimaginable. Elle entreprit de régenter les affaires de ses amis et connaissances, s'appliquant inlassable à de compliquées situations, à des nuances dans les rapports, à des minuties dans le conseil qui la distrayaient, sans qu'il y parût, de la sorte de malaise où elle se débattait. Ainsi devint-elle un régisseur de conscience, d'autant plus attentive et pertinente qu'elle mettait d'angoisse à comprendre les questions d'autrui, pour se départir des siennes. Elle consacra la même énergie, pendant une période pas mal agitée, à poursuivre en combien d'hommes qu'elle fréquenta l'image de quelqu'un, Mathieu Béluse ou Raphaël Targin, qu'elle s'était faite elle ne savait comment. Ces expédients furent vite lassants. Les problèmes des amis étaient ennuyeux, les hommes se suivaient et se ressemblaient. Sans compter qu'effrayés d'une telle sauvagerie à traquer la passion parfaite, ils fuyaient au plus loin. Marie Celat, en deux ou trois de ces rencontres, fit mine d'être amoureuse avec extravagance. Mais, au milieu de la plus misérable des scènes de jalousie ou de reproches, elle éclatait de rire et tournait le dos. Elle s'étonnait de ne pouvoir retenir, ni soutenir jusqu'au bout, les éclats de ce qu'elle appelait ses crises sentimentiques. Tout cela était d'une si exagérée banalité que par moments elle s'arrêtait, émerveillée d'une réussite aussi complète dans le genre. Je suis parfaite, ça me va si bien, le bout de gazon, les jalousies métalliques aux fenêtres, le salon Lévitan, les hommes qui défilent. Mais elle n'allait pas jusqu'au comble de ce figement, quelque chose tressaillait quelque part. Il fallait s'enfoncer plus outre dans l'incolore. Allons-y, plongeons, décidait-elle, il est temps. Et un matin, comme sans s'avertir elle-même, Marie Celat se laissa couler. Elle descendit d'un seul balan la vie. Elle se trouva ainsi un jour à respirer en compagnie d'un homme, le temps dévala, elle eut deux enfants, des garçons. Plus tard, elle ne se souvint plus du regard, ni de quoi que ce soit, de cet homme. Elle ne se rappela aucune parole qu'ils eussent échangée. Il était employé de banque, rentrait en pleine nuit, n'était pas visible le dimanche où il allait au stade. Marie Celat ne remarqua pas ces particularités, qui étaient d'ailleurs des généralités du pays. Quand le jeune homme s'en fut, peut-être agacé de ces indifférences qui le censuraient mieux que des cris, elle ne s'attacha pas à savoir ce qu'il était devenu. Les deux garçons ne souffrirent pas, supposions-nous, de l'absence de ce père, étant donné l'empressement dont tout le monde alentour fit preuve et les soins dont on les entoura. Marie Celat pleurait sans raison connue. Y avait-il une malédiction de solitude sur sa tête ? Quelque chose venu de si loin (non pas dans le temps mais dans l'impression qu'on en a et dans la faiblesse qu'elle procure) qu'il n'y avait aucun moyen de le connaître ni de le repousser ? Marie Celat riait alors. Je suis une femme ordinaire, s'obstinait-elle ; se fabriquant ce personnage, si difficile à soutenir. Transparaissant dans la suite des jours, expressément vulgaire, et banale avec soin, par moments prise de cette paralysie bienfaisante qui permet de tout traverser. J'ai les ennuis de chacun, l'hostilité de mon chef de service, la monnaie que je sème partout dans la maison et que je ne retrouve jamais, le manger qu'il faut préparer, le marché qui ouvre trop tôt, les livres qu'on ne rencontre pas dans les librairies, la radio qui emplit la tête. On ne fait pas plus ordinaire. C'était manière de dévaler le temps de la jeunesse et de quitter les rêves où on consume. La terre alentour s'ornait d'une clarté pâle, aussi ténue et imperceptible que l'engourdissement de Marie Celat était volontaire. Les pluies de l'hivernage débordaient sur le carême et ces deux volets de la saison unique s'embrouillaient d'une même cassonade, nous plongeaient dans une demi-grisaille où la chaleur elle-même devenait triste. Les bruits les plus scientifiques couraient d'un banc à l'autre de la Savane en pleine ville. Les Américains entreprenaient de nettoyer le ciel au-dessus de Cap Canaveral, ils rejetaient sur la Caraïbe tous les détritus climatiques de l'espace. Il allait pleuvoir pendant quarante jours et les touristes seraient obligés de nager dans les halls des grands hôtels. Fidel Castro tenait déjà la parade : un canon pour déblayer les nuages. Nous étions quittes pour tout avaler, le goudron de la mer et les cyclones du ciel accumulés en rafales successives. C'était pourtant un grand bonheur quand les glycérias fleurissaient en teintes violettes sur les bords des chemins. Ils étaient seuls à rester debout, sans autre production que de border les lisières et de fleurir ainsi tout à coup. Je suis une femme ordinaire, je ne vais pas pleurer pour un vieux Nègre qui depuis si longtemps s'était retiré du commerce des habitants, je ne vais pas courir à l'envers sur le chemin de ma vie pour remonter les yeux noyés jusqu'à ce que Cinna Chimène appelle la chambrerie. Elle sillonnait la campagne et parlait aux gens de rencontre. On remarquait partout de petits tas de sable et de tuf, chacun essayait de reconstruire en dur les cases de bois et de tôles ; on en voyait dont la carcasse de ciment inachevée enveloppait l'ancienne bâtisse de gaulettes et de paille. Les bouts de chemin empierré se perdaient dans les remblais de terre, les poteaux de bois étaient couchés à l'endroit où la ligne d'électricité s'était arrêtée. Voilà encore la dame qui passe elle est gentille elle connaît beaucoup de choses. Non, pas un ne se souvient par ici du temps longtemps, l'école du quartier n'a qu'une seule maîtresse, il faut descendre au Lamentin pour toucher les allocations, comment vivre sans ça. Non, la distillerie est fermée depuis on ne sait pas quand. Oui madame pour retrouver la route vous tournez au troisième pied de coco à droite et puis vous continuez jusqu'au croisement où il y a des bambous et là vous prenez à gauche pour traverser le pont découvert en descendant sur la maison de madame Beautemps après la maison tu suis la trace entre les bananes tout droit et à gauche il y a un raccourci là il faut dépasser avant de tomber sur la route à main droite vous ne pouvez pas vous tromper c'est tout près. En ce temps-là les commandeurs et les géreurs avaient disparu du paysage. On en voyait encore quelques-uns, zombifiés. Les chiffres officiels décomptaient une usine et demie dans le pays : une qui marchait pour la récolte pleine, l'autre pour une moitié de la saison. Plus personne ne croyait aux contes et à peine en quelques endroits chantait-on à la veillée Quoi donc Colin ne sais-tu pas Qu'un dieu vient de naître ici-bas, sur le rythme que nous choisissions, lent à faire planer ou plus accéléré qu'un réveil qui détraque. Ne croyait aux contes, c'est-à-dire à l'opportunité d'en réciter, pas plus qu'à l'importance sans poids de ce qu'ils disent. Monsieur Chanteur Alfonsine, qui était géreur du côté d'une plantation oubliée du progrès, prétendait que le père de son grand-père avait commandé aux bandes, organisé l'insurrection, arraché la proclamation d'abolition en 1848. Que c'est pourquoi on disait encore de quelqu'un qui est déterminé, qui prend les décisions et les applique sur l'heure : i ni koulè Euloj, il a la couleur d'Euloge dans le sang. Monsieur Chanteur criait comme tout le monde que les cultures avaient été abandonnées ; mais c'est parce qu'il regrettait le temps où les commandeurs à cheval (le plus souvent à mulet) régentaient le pays alentour. Il conduisait une vieille voiture qu'il appelait Bijou, du nom de son dernier mulet, et qu'il garait à l'entrée des traces, plus anonyme dans le flot de la grande route qu'une des fourmis de Ceci Celat. Il enrageait d'être ainsi méconnu, lui qui descendait de tant d'économes, de commandeurs ; qui avait été un des meilleurs cuiseurs à la distillerie ; qui pouvait dire, au seul grain de la terre, combien de récoltes elle porterait encore sans engraissage de fond. Il s'accrochait au temps passé par sa seule passion : des combats de coqs. Quand vous voyez un renflement de voitures entassées au détour d'un chemin de campagne, c'est à tout coup un pitt. Vous entendez le boucan à l'intérieur où les bêtes se déchiquettent, où des sommes inouïes changent de mains. Monsieur Chanteur se débridait là, ne remarquant même pas contre qui dans la mêlée il avait parié, perdu dans le vacarme et la folie qui venaient de si loin. Monsieur Chanteur ne supportait pas d'entendre parler de changement, de revendications, de malheur ni de malheureux. Tant qu'il y aurait des coqs noirs à crête rouge, les seuls qu'il estimait dignes de sa confiance. Les Nègres étaient les premiers des animaux, et lui en tête faisait le président. C'était connu depuis le début des temps. Il prenait à témoin Marie Celat qui le fréquentait et l'interpellait sur la misère des coqs, le baptisant vrai résidu des âges oubliés. Monsieur Chanteur acceptait volontiers le titre. Les âges oubliés n'ont pas accouché de cette malédiction. Je ne comprends pas ces animaux de maintenant. Dans le temps quand un Nègre voulait boire un punch glacé il était obligé de s'habiller pour prendre le yac ou le taxi-pays et descendre à l'Hôtel Central sur la Savane à Foyal. Et tous les petits Négrillons couraient derrière en criant papa éti ou ka alé ? Aujourd'hui on trouve un frigidaire presque derrière chaque porte. Et ces animaux ne sont pas contents. Je ne comprends pas la tête de ces Nègres. N'essayez pas, tout Nègre que tu es, disait Marie Celat, votre tête a vraiment trop d'ergots.

Bruit de l'ailleurs

Patrice Celat (dont l'offrande fut à Lumumba, le martyr du Congo) grandit dans une violence sans fond. Un volcan dont on ne voyait pas la fin du tumulte. Il n'est pas étonnant que les motocyclettes aient été sa folie. Comme les jeunes gens de n'importe quel pays, sans doute eût-il peu à peu calmé cette passion de vitesse qui brûlait en lui. Marie Celat regardait ses enfants et songeait effarée : est-il possible que je sois une mère dénaturée ? Il lui semblait qu'elle ne les aimait pas de toute l'ardeur souhaitable. Par moments ils l'exaspéraient et elle avait envie de les planter là pour partir, pour partir où ? Je n'étais pas taillée pour la maternité. Elle restait stupéfaite, exclue de tout par les déferlements de sauvagerie de son fils aîné, paralysée d'un tel excès. Patrice n'en voulait à personne, il ne supportait tout simplement pas qu'on lui parle, même pour l'approuver. Les études lui paraissaient une misère sans rémission, un trou sans murailles pour regrimper. Il lisait avec passion les chroniques judiciaires des journaux, dont il devint un spécialiste. « Deux voisins se blessent parce que leurs enfants se fréquentaient. » « Il tue son cousin : ils n'étaient pas d'accord sur les mérites de leurs boissons respectives. » Patrice portait sur le corps et à même la figure les traces des accidents qu'il avait provoqués ou subis. Marie Celat chloroformée ne réagissait plus. Il ne me reste que le rhum, il ne manquerait plus que ça. Les coureurs de galanterie la poursuivaient d'invitations. Une femme seule est conviée à tous les méchouis. Marie Celat n'avait pas même à refuser, elle passait à travers comme un vaillant zombi. Regards, sifflets, propositions : Marie Celat toisait comme elle avait appris à faire dès l'enfance. Ou bien elle tombait en statue, ce qui était insupportable à voir. Les ingénieurs de la drague, sur la foi de son passé récent, croyaient entrer là en terre bénite. Elle soutint ce siège. Mais elle en fut atteinte, plus que par ses expériences de naguère. Soudain elle se précipitait sur les enfants qu'elle accablait de leçons et de discours. Expliquant à Patrice la violence sans cause, et qu'il n'était pas original dans ses débordements, pas plus que ceux qui aux alentours s'entre-tuaient pour une aile de voiture cabossée ou pour un mouton égaré dans une lisière. Maman, je connais, j'ai lu Fanon. Il ne suffit pas de lire, il faut aussi réfléchir. Elle entreprenait d'expliquer le monde, les peuples, les combats. D'autant plus obstinée que la première fois, l'enfant n'avait pas huit ans, il lui avait répondu d'un ton assuré : Manman la maîtresse nous a dit que les fellagas étaient des assassins. Seigneur, il faut se battre contre trop. Elle revenait à l'entour, emmenait Patrice sur les mornes, détaillait les arbres et les plants, ceux qui disparaissaient peu à peu. L'herbe à ver, les surelles, les gaïacs, le tapioca, l'anis. L'enfant s'ennuyait. Plus tard, elle fut soulagée de le savoir inscrit à un groupement de jeunesse. Il étonnait ses camarades, terrorisait les voisines. La maison de Marie Celat était à la fois claire et morte ; Patrice Celat (Patricela, disions-nous) s'effondrait dans un coin du garage devant sa motocyclette. Ses accalmies étaient aussi redoutables que ses crises. Marie Celat tentait d'expliquer aux voisines les raisons plus que profondes d'un tel comportement. Comprenez la jeunesse, nous n'avons jamais rien fait ensemble, vraiment tous, avec nos outils calés dans nos mains, nos gestes à nous. On a toujours reçu donné, toujours échangé, la sueur contre les sourires, le sang et la misère pour la considération et les tapes dans le dos, depuis le premier jour où nos corps furent trafiqués. Ainsi de suite. Les voisines commentaient : Madame Celat est ravagée, on ne comprend rien à ce qu'elle dit, on comprend trop bien, c'est une complexée, nous n'avons rien à voir avec ces histoires d'on ne sait pas quand, ici c'est des gens respectables. Et pour la provoquer elles tenaient en sa présence des discussions très documentées sur la difficulté d'employer des bonnes, sur l'insolence sans manières de ces incapables. Marie Celat ne savait plus injurier. Peu à peu elle se réfugia en Mathieu. La passion d'écrire et de recevoir des lettres égala bientôt les excès qu'elle avait connus. Ce fut là sa période épistolaire. Mathieu devint le Grand Absent, pour la raison qu'elle en pouvait désormais suivre la trace dans l'ailleurs. Présent par son silence, il s'éloigna du moment qu'il écrivit ; c'était la damnation qu'il y avait toujours eue entre eux. Et, ainsi qu'auparavant, l'écart et l'incompréhension les rapprochèrent dans la même jouissance d'être incompris. Marie Celat imaginait à cette heure que le monde était le théâtre d'un tel plaisir. N'importait le pays où se trouvait Mathieu, on pouvait supposer qu'il irait en un autre. Tous les pays du monde paraissent dans notre désir. Elle regardait soir après soir l'unique émission de la télévision, grappillant maigrement une danse de Bali, une chasse en pays esquimau, une cérémonie d'initiation dans un village bantou, un documentaire sur l'usage de la flûte dans les Andes. Mathieu cependant parcourait réellement le monde, selon un projet qui semblait se nourrir de lui-même ; il envoyait donc à Marie Celat des documents outrés de littérature, dont elle riait, avec quelque admiration, s'étonnant qu'on puisse être à la fois lucide et à ce point emporté. D'Europe (: « Le plus blême est de les entendre parler de nous avec une si aimable transparence, nous adressant leur message de fraternité avec la négligence affectueuse qu'on met à caresser sa bête favorite, dont on ne voit plus le corps pesant sur la terre mais seulement l'espèce de divertissement qu'elle crée dans l'alentour ») et elle lui répondit qu'il était trop vantard. D'Afrique (: « Comme tel qui se vit décrépir dans sa chair, tressant autour de lui – en relent acide – une liane de sons, et qui rencontre enfin la roche de l'infini, le poids de patience et de silence qu'on prend dans la main ») – trop mou et poéticard. Des Amériques (: « Mon personnage imagina que ce qu'il nommait poésie – dont la substance ne lui avait certes pas été sécrétée à travers les racines et les souches d'alentour mais portée par un vent d'ailleurs, à moins que suintée dans la raide absence de racines et de souches en lui et autour de lui – venait à être menacé de tarir. Pour quoi il écrivit en sa tête et déclama sur une page, deux opérations qui d'évidence ne sont pas à confondre, la lettre suivante, qu'il ne fit jamais parvenir : – Cher compañero... ») – trop paresseux pour aller au fait. Il est difficile de fréquenter le monde entier. Marie Celat voyageait ainsi, sans quitter ses repères. Mathieu protestait qu'elle avait l'esprit critique à bon compte. Elle lui décrivait les endroits qu'il visitait, il convenait qu'elle voyait juste. Cette correspondance à l'envers (Mathieu Béluse à son tour évoquant le pays – Petite Guinée ou Roches Carrées – qu'il avait quitté pour hanter le monde et Marie Celat confirmant que son discours n'était pas caduc) s'organisait selon un rituel qui leur permettait – leur donnait la force – de ne pas parler d'Ida, sinon sur ce ton neutre qui convient pour les personnes sans problèmes (Ida va bien, sa grand-mère la gâte trop, elle a eu cinq tableaux d'honneur – et plus tard : Ida veut construire une case, elle demande si son père est devenu le Hollandais volant), parce qu'ils savaient que c'était la seule au monde dont ils ne pouvaient parler vraiment. Je ne me fais pas de souci pour elle, notait Marie Celat, les Béluse gagnent toujours. Et, peut-être pour rattraper tout ce soin qu'elle n'avait pas prodigué à Ida, Marie Celat organisa pour ses compagnes de bureau des dîners, des sorties entre femmes, des discussions sur la politique et sur le bonheur. Les convives racontaient les travers de leurs maris. Il y avait tant de nervosité sous les rires, les allures dégagées, les confidences osées, les provocations à aller plus loin, que ce groupe éclata bientôt (il n'y a pas d'autre mot), après qu'une des participantes eut connu en pleine soirée d'agapes (les enfants couchés, les hommes on ne savait où) la plus spectaculaire des crises. Il fallait trop d'efforts pour supporter ensemble. Chacune revint à des expédients plus discrets. Marie Celat voulut à toute force apprendre le dessin industriel d'abord, la culture du soja ensuite, pour finir les mystères du droit commercial. Le Grand Absent se moquait de ces passades. Il lui recommandait d'aller plutôt visiter les endroits où elle avait vécu et vérifier s'il coulait encore un peu d'eau dans les rivières, prophétisant que quant aux mares il n'en resterait pièce. La prophétie était à très bon compte ; depuis longtemps les eaux avaient tari. On ne parlait plus guère du Grand Congo ni de la Petite Guinée. Quelques errants du quartier s'étaient réunis pour y ouvrir une sorte de bar où chacun buvait, au soir venu, ce qu'il avait apporté. Les habitués s'asseyaient sur la terre damée, autour des poteaux mal équarris qui supportaient quelques tôles. On ne sait par quel miracle, une lumière électrique papillotait près du plafond. Nous fréquentions souvent ce privé, où les voyageurs retour de France déclamaient leurs aventures. C'était à qui tiendrait les discours les plus flambants. La neige était sucrée, la tour Eiffel penchait vers la gauche, les femmes de Pigalle avaient des tétés prémunis contre le froid, monter au sixième sans ascenseur c'est comme râper un bi de tuf avec la langue. L'exercice le plus couru était de jauger en comparaisons inouïes les hommes politiques du pays. Une impartialité sans failles faisait que ces discours ne donnaient jamais lieu à disputes ; il n'en allait pas de même pour les matches de football et les courses de bicyclettes. L'habitude prise, le privé ouvert soir après soir, un ancien Parisien s'avisa que c'était là Barbès. Barbès remplaça la Petite Guinée. Une nuit que deux sociétaires se battirent, de manière très inaccoutumée, à coups de roches (ils tiraient au hasard dans le bois, sans se cacher derrière quoi que ce soit, nous estimions la portée des coups au bruit changeant des impacts), un autre averti jugea pile qu'à Barbès-Rochechouart devrait en vérité correspondre (ici) Barbès-Roches-tombées. Jusqu'au moment où un vantard, qui connaissait si bien le vaste monde, s'avisa de la petitesse du périmètre, décida qu'il y avait à le nommer Barbès le Mouchoir. Ce fut le dernier nom qui resta. Ces variations n'avaient pas tant d'importance ; nous étions seuls à en rire, les réservant pour notre usage. Une vraie révolution fut l'arrivée de Ti-Renée Celat, en provenance de Cayenne. Elle se souvenait d'être la descendante d'un personnage qui apprivoisait les fourmis. Elle était partie à l'aventure, pour voir les parents et les amis supposés. Barbès le Mouchoir l'accepta, en fit un membre de droit des interminables soirées. Elle y entraîna d'autres femmes de l'endroit. Plus parlante qu'aucun homme, elle racontait comment les fils de Ceci Celat s'étaient enrichis dans le trafic d'or, comment devenus importants ils s'étaient ruinés pour des chercheuses d'aventure, des femmes blanches et des Brésiliennes. Les majors de la Petite Guinée requirent aux alentours les membres de la famille. Ils poussèrent jusqu'à Marie Celat, qu'ils invitèrent à rencontrer sa cousine. Ils prononcèrent ensuite que c'étaient là deux papa-femmes, qu'il y avait intérêt à les maintenir séparées, loin loin loin, sans quoi la terre prendrait feu. Ti-Renée Celat expliquait la Guyane, Marie Celat complétait. La voyageuse criait que sa parente était engagée, qu'elle voyait au loin dans les espaces. Et tout aussi bien qu'elle était venue et avait réussi sa révolution (l'imposition des femmes), Ti Renée Celat brusquement disparut, laissant planer derrière elle un pays de lianes tout en pluie avec des macaques dans les bois et des caïmans dans les eaux ; ainsi que pas mal d'héritières qui sur place décidèrent d'organiser les soirées de Barbès. Elles demandaient à toute force que Marie Celat vînt « au moins un soir hebdomadaire ». Il resta aussi du passage de Ti-Renée une fantastique évocation du trafic d'or dans le pays de Guyane. Sans bouger d'un pied, chacun à Barbès le Mouchoir fit en esprit ou en proclamations le voyage chez les Indiens, brodant sur les dangers de la forêt et les chances de la spéculation. Ces expéditions de Marie Celat dans les campagnes n'avaient rien que de très ordinaire. Depuis peu, il est vrai, tout un chacun revenait aux sources. Les fonctionnaires, qui continuaient d'investir en clandestins dans les taxis et les autobus, commençaient d'acheter des morceaux de terrain et de faire planter les ignames. Ceux d'entre nous qui étaient les descendants des coulis obstinés, qui par conséquent avaient gardé commerce avec la terre et les bêtes, et dont les enfants à leur tour s'initiaient à la comptabilité ou aux études secondaires, bien entendu refusaient de vendre quoi que ce soit des jardins qui avaient échappé aux békés. Trois-Mulâtres lui-même (tellement mulâtre que nous l'avions ainsi appelé : Trois-Mulâtres), qui avait vécu ou paradé quelque vingt ou trente ans auparavant dans les rues de « la ville » et dont les pantalons escampés avaient pétrifié d'admiration les majors, tout autant que ses vestes à redingote (une revendeuse du marché, avec un de ces corsages accrochés sous les aisselles – un boléro –, lui avait demandé à grand vent de mots s'il ne voulait pas « faire passer par mâle » sa veste avec la sienne, pour équilibrer les longueurs), Monsieur Trois-Mulâtres lui-même, s'il avait été là, eût accepté de monter sur les mornes pour au moins regarder le sarclage des patates ou le tutélage des pois d'angole. Il semblait à la fin qu'il manquait donc quelque chose. Nous avions beau être actifs, efficaces, modernes, équipés, il manquait quelque chose. Nous avions beau manipuler des gadgets, il manquait quelque chose. Et, à ce moment, nous observâmes que Marie Celat en effet nous avait quittés. Qu'elle était partie, tout autant que Mathieu par le monde ; ce n'est pas obligé qu'on prenne le bateau ou l'avion, pour partir. Tu t'en vas doucement dans chaque jour qui passe, dans le passé qui ne vient pas à jour, dans la ritournelle béatifiée à tous échos, tu fais tout, le travail, le carnaval, les élections, sans rien faire à vrai dire. De sorte que, si Marie Celat nous avait quittés ou si du moins nous en prenions peu à peu une si douloureuse conscience, c'est parce que nous levions les yeux sur ce qui de l'alentour nous échappait tellement. Nous ne savions à la fin comment faire marcher notre usine, ni par quoi remplacer sa vacance terrible. On nous divertissait d'activités de remplacement, qui nous saturaient d'une jouissance au bout du compte insupportable. Marie Celat mettait toujours autant de soin prudent à ne pas paraître s'éloigner ; s'appliquant pathétique à conseiller les garçons, à se rapprocher d'Ida, laquelle promettait d'être un nouveau cas. Cette crainte de se montrer originale déterminait beaucoup de ses qualités en société. Patrice Celat pour sa part avait épuisé, plus vite qu'un autre, les emportements que la jeunesse systématise et par quoi elle dépasse et continue ce dont elle a hérité. Patrice, on aurait dit, n'avait hérité de rien. Il étonna un jour Marie Celat en lui présentant Sylvia, son amie. Elle fut conquise par la réserve dont la jeune fille fit montre. C'est une charmante petite Coulie, dit-elle ensuite à Patrice, je ne te croyais pas capable d'humanité. Il lui demanda tout rogue si on lui avait jamais dit qu'elle était une charmante petite Négresse. Ah c'est ce que je rêve depuis toujours d'entendre hélas. Patrice conclut que c'était Sylvia un point c'est tout. Marie Celat expliqua que la grand-mère de Pythagore avait passé pour être une coulie, manzè Colombo, et que depuis le temps plus personne n'avait à se fâcher pour ce genre de choses. Patrice l'embrassa, disant qu'on avait toujours raison de se fâcher. Tout ce que je te demande c'est de ne pas aller trop vite sur ce belzébuth à roues que tu m'as obligée à acheter. Maman tu ne crois pas au diable. Je ne voudrais pas que tu entraînes Sylvia dans une de tes folies. Maman, tu es formidable pour tout mais pour comprendre les jeunes tu es plus que pire. Ta sœur Ida devrait être là pour te donner deux bons palavirés. Ida ne m'a jamais touché, ce n'est pas aujourd'hui qu'elle aurait commencé. Je ne sais pas comment j'ai pu céder ainsi. C'est parce que tu apprécies le progrès et la technique. Ne va pas vite, je te supplie, regarde bien à droite et à gauche. Et aussi devant moi, Marie Celat. Et aussi devant toi, Patrice Celat. Ces conversations, toutes sur le même modèle, épuisaient la mère mais réconfortaient le fils ou du moins agissaient sur lui ainsi qu'un rituel apaisant : il faisait là provision des échanges de mots qu'il refusait partout ailleurs. Puis il repartait sur le belzébuth et se perdait dans l'infini. L'épuisement gagna en Marie Celat, que ni les journées à la mer ni les soirées devant la télévision n'arrivaient plus à engourdir. L'égarement la faisait trébucher sur les trottoirs, les livres qu'elle ouvrait se perdaient sous le lit, tout se mélangeait avec une sorte de férocité calme, dans la mécanique de l'existence. Elle nouait des amitiés fulgurantes, bientôt traversées de répulsions tenaces. Parcourir le pays ne lui suffisait plus. Ce qu'il y avait à voir était trop loin des routes goudronnées, des maisons cimentées. Il fallait trop monter dans la tête des gens, parmi les cases éparpillées sur les hauteurs, pour toucher enfin le désarroi et les renoncements. Les rusés d'en bas (nous, qui profitions si bien de toute jouissance offerte) étaient tout aussi habiles à camoufler. C'était fatigant de les mettre à nu, horripilant de renoncer à le faire. Marie Celat courait d'un trait au bord de la mer, mais pour s'isoler maintenant. Ceux d'entre nous qui s'étaient accommodés de leur engourdissement et qui tâchaient de mener avec vaillance leur vie, c'est-à-dire de s'obstiner à des devoirs tellement pressants qu'ils dispensaient d'avoir à penser les manques terrifiants et l'évanescence (et qui sans doute se réveilleraient un jour, bouleversés d'avoir si longtemps macéré dans leur bonne saumure), estimaient qu'elle était bonnement une enquiquineuse. Le pays n'allait pas si mal, il ne fallait pas exagérer. Ni la famine endémique, les massacres ni la torture, le désert ni les épidémies, macoutes ni escadrons de la mort, colonels fascistes ni pelotons d'exécution ne peuplaient nos mornes pour les dépeupler. On était même obligé de limiter sur les naissances, selon les plans de Paris, pour combattre le seul ennemi, la démographie galopante. La race des Nègres est déjà trop nombreuse comme ça. Marie Celat courait aux endroits des bords de mer d'où par temps découvert on reconnaissait la Dominique au nord, avec l'accompagnement rugueux des côtes en escarpe et des vagues déchirées, ou Sainte-Lucie au sud, qui semblait se découper sur les sables tranquilles et l'eau verte étalée ; elle apostrophait les îles. Répondez, la Dominique. Je vous appelle à conférence. Nous ne connaissons pas les hauteurs sur la mer. On m'a pris yoles et gommiers, on m'a pris le chemin du soleil, ho répondez Jamaïque. Venez à la naissance et appelez dans la danse, Haïti ho Haïti. Et toutes sortes de tirades qu'elle improvisait en actrice inspirée, riant d'elle-même et de ces simagrées. Comprenant toutefois que si elle parlait à ces pays comme à des personnes vivantes, ombrageuses ou bonnes, c'est parce qu'elle était restée si longtemps à venir là se baigner au soleil sans jamais lever les yeux sur l'horizon où les mêmes mornes là-bas se profilaient. Ce fut retour d'une de ces déclamations maritimes dont à la vérité elle avait honte (je deviens plus que tèbè, on n'a pas idée d'un pareil déménagement) qu'au détour d'une route de traverse, son cœur tomba. Ce renflement de voitures ne signalait pas un pitt, il y avait trop de renifleurs autour. Nous courons aux accidents et fascinés nous agglutinons là, le prétexte en étant qu'il faut vérifier à chaque fois s'il ne s'agit pas d'un parent ou d'une connaissance. Le pays est trop petit, nous finirons par exploser dedans. Marie Celat sut, bien avant d'avoir remarqué la moto en pièces tordues rangée à l'écart, que le bout du chemin était là et que Patrice l'avait ravagé de son corps. Elle courut dans les gens, criant laissez-moi passer c'est mon fils. Il était là. D'où nous venons, de quelle nuit balayée de stupeurs raides ? De quelle mémoire insensée, qui se retire à mesure ? Patrice Celat reconnut sa mère, murmura : maman je n'allais pas vite. Puis il pencha la tête du côté des ombres. Le reste entra dans cette nuit. Marie Celat tomba (après avoir eu le temps de penser en éclair ah merci la petite n'était pas avec lui) dans un carrousel d'autos déréglées qui spiralaient toutes vers un vidé de voix (pa minyin-ye jandam kaï maré-ou, il faut ordonner l'autopsie, trop jeune pour être sa mère mais non, loto épi moto pa bon zanmi) dont tout le sang s'était retiré, des voix pâles et mortes qui prenaient leur force en elle. Ce feu était mêlé des lenteurs compassées ou convenues dont on rythmait pour elle le déroulement des choses : l'hôpital, les premiers amis, l'attestation de décès, les condoléances déjà. Qui sait comment elle s'en échappa ? Sans doute la ruse. Le malheur à son extrémité a des ruses qu'aucune personne sensée ne saurait éventer. Marie Celat courut à travers elle ne savait quoi. Mais son allure était si tranquille, son pas si mesuré, que pas un ne se retourna sur son chemin. Une femme sérieuse qui rentre à son domicile. Elle a sans doute eu par malchance une panne de voiture. Sans doute aussi a-t-elle déjà fait remorquer la machine par un garagiste. Elle courait éperdument dans sa tête. Montait toute calme d'apparence par une des routes (laquelle ?) qui peinent en détours, comme les anses de la ville-jarre, et se perdent dans des amas de HLM bardés de parkings. Elle cherchait quelqu'un ou quelque chose, elle ne savait encore. C'était un cri là dans sa tête, mais quel ? Donnant l'impression de décider où elle allait. « Ce que nous consentons, messieurs, à la statue de la Liberté, parce qu'elle plane loin au-dessus de nos petites misères, le planté raide du poil de tête, nous ne saurions l'admettre parmi nous ne saurions l'admettre parmi nous ne saurions l'admettre parmi nous n'est-ce pas messieurs n'est-ce pas ? Parmi nous parmi nous parmi nous. » Les conducteurs de voitures s'étonnaient, une femme seule qui monte à pied, ils proposaient de l'emmener. Marie Celat secouait la tête. Les cassures d'ombre et de soleil passaient sur elle. Les fleurs des flamboyants dentelaient la route. Pourquoi faut-il chercher si loin ? Si loin dans les espaces dans les amas de jours et de nuits. Parmi nous parmi nous. Soudain la lumière se brisa, le cri prit forme, elle épela : Odono. Elle cria : Odono, où est Odono ? Marie Celat était au centre d'un lotissement, mais elle ne le savait pas. Les reflets des tôles ondulées bleu-vert ou jaunes teintaient la terre aux endroits où les trottoirs n'étaient pas achevés. De gros renflements de ciment (que les enfants appelaient selon leur tempérament des gendarmes couchés ou des bombes atomiques) barraient les rues étroites. Les pavillons individuels étaient mélangés aux grands rectangles de six étages dont les entrées, en contrebas du chemin, semblaient parfois ouvrir d'étranges gouffres. Marie Celat cria : Odono, où est Odono ? Alors entrant droit dans un des immeubles qui ne s'enfonçaient pas, elle monta par l'escalier à flanc de muraille jusqu'au troisième étage, il lui semblait que ce devait être au troisième, frappa ou sonna ou fit du bruit à une porte. Une dame ouvrit, accueillante. Marie Celat entr'aperçut la table de salon où une petite fille travaillait à ses devoirs d'écolière. Odono, où est Odono ? La dame étonnée consultait sa fille, revenait. « Vous comprenez, nous ne connaissons pas les noms des locataires. Monsieur Odono ? Non, nous ne voyons pas. Mais si vous avez le numéro de sa voiture, nous saurons certainement où il habite. » Marie Celat dégringola de ce troisième, c'est-à-dire qu'elle s'affala sur la première marche de l'escalier (la dame avait prudente refermé la porte), criant sans pouvoir arrêter. Le numéro de la voiture. Le numéro de la voiture.

Roche de l'opacité

Odono Celat endura bien des brocards à cause de son prénom. Il le reprochait doucement à sa mère. Tu m'as marqué pour la vie, avec ce nom-là. Nous nous moquions à petits cris, car nous aimions Odono. Le nom fut d'ailleurs très tôt transformé en Donou, Donou Celat, même à l'école ; ce qui fait qu'on oublia l'étrangeté d'origine et que le garçon ne répondit plus au nom d'Odono que dans la maison de sa mère, ou quand nous, les initiés, voulions nous moquer un peu. Il vivait dans les nuages, l'ombre de son frère, projeté dans un ciel sans cyclone. Ou plutôt, il passait à travers cyclones et tremblements avec une grâce où on eût reconnu, si elle n'avait pas été si totalement raturée de toute mémoire, la légèreté tragique de son lointain ascendant Liberté Longoué. Odono était passionné de pêche sous-marine. C'est-à-dire que là où les autres jeunes s'activaient par plaisir sportif, pour la satisfaction de rapporter les mérous et les vierges, ou à défaut les petits marignans qui frétillaient à trois ou quatre mètres près des rochers, il se plaisait dans la mer pour y rêver. Nous étions, à la fin, d'une manière ou d'une autre, revenus à la mer, si proche si inconnue. Donou Celat y descendait pour baigner dans le bleu où on danse et où on oublie. Il fréquentait la mer pour les dessous ombreux, quand Marie Celat y supposait surtout l'étendue semée de terres. La même force les poussait. Donou Celat revenait de la pêche, c'est-à-dire de sa paresse à flâner sous les eaux, quand on lui apprit la mort de son frère, la disparition de sa mère. Le jeune homme vivait loin, il sembla que ce malheur ne l'atteindrait pas. On le vit occupé très méthodique à ces devoirs funèbres que nous accomplissons d'ordinaire avec un si nerveux empressement. Quelques-uns en furent affectés, prêchant que Donou Celat n'avait pas de sentiment. Ce fut bientôt l'opinion générale : il avait dormi sous trop d'eau de mer, parmi les coquillages qui n'ont ni cœur ni nerfs. Donou cependant accomplit vaillamment sa tâche. Il retrouva sa mère et prit soin d'elle, lui épargnant les tracas misérables de l'enterrement, les attentions des amis, la lamentation pour ainsi dire professionnelle des proches. On apprit alors que le père des garçons avait quitté le pays depuis longtemps déjà. Ida Béluse aida son frère, au point qu'elle parut comme le chef de cette maison où elle ne vivait pas. Mathieu Béluse était quelque part dans le monde, introuvable à cette heure. Marie Celat décréta mornement que Mathieu n'était pas fait pour les malheurs, qu'il fallait le laisser tranquille. Ida Béluse protesta, demandant pendant combien de temps encore les femmes devraient tout prendre sur elles. Marie Celat eut la patience de sourire – c'était à la fin de la veillée, il ne restait que les prieuses, droites sur les chaises, l'assistance était partie après avoir mangé du patenpot et bu du vermouth et du café trop noir –, elle chuchota qu'Ida Béluse sa fille avait beaucoup à apprendre. Les discussions entre ces deux-là montaient vite en feu, ni l'une ni l'autre n'étaient de tempérament à laisser dire. Donou Celat sollicita un peu d'apaisement. Ce qu'il obtint, non seulement pour cette nuit mais pour le temps qui suivit. Ce fut un espace de légèreté, où le deuil lui-même contribuait à maintenir toutes choses (gestes et voix, mains calmes et allures pressées, sourires convenus et odeurs fades sous la pluie) dans un bienheureux état de suspension. Trop de malheur apaise ; à ces moments-là il ne faut bouger ni crier trop. C'est à quoi chacun s'appliqua en cette occasion. Donou Celat s'entendait à bien préserver ces sortes d'accalmie et il mena doucement Marie Celat jusqu'à ce point où elle accepta de régenter leurs vies et de décider pour deux. Il faisait montre d'une réserve qui avoisinait l'indifférence et qui convenait à sa mère, laquelle était comme apaisée à chaque fois qu'on faisait semblant de ne pas s'occuper d'elle. Ce n'était pas chez lui calcul mais innocence ; tout de même que quand il parut avoir besoin de conseils et de réprimandes pour la conduite de ses études. L'idée que Donou Celat se raccrochait à elle précipita Marie Celat dans une ardeur d'existence qui nous enchanta. C'était là le signe que nos jours et nos nuits n'étaient pas si dérisoires qu'il paraissait. La recevoir parmi les invités d'une soirée ou d'une partie à la mer était une victoire sur la grincherie des insatisfaits, chercheurs de misère et fauteurs d'embarras. On lui demandait gentiment si elle montait toujours dans « ses » campagnes. Elle tenait bon. Quand elle sentait que quelque chose allait craquer, ou quand elle était triste d'elle ne savait quoi, elle courait acheter les brimborions les plus inutiles, les robes les plus extravagantes, qu'elle ne portait jamais, qu'elle égarait au fond des meubles et de tous les casiers possibles. Nous disposons de combien de boutiques fort achalandées. Toutes les femmes font ça, reprochait-elle à son fils, il n'y a pas de quoi s'énerver. D'ailleurs j'ai toujours besoin de quelque chose. Pourquoi dis-tu des banalités, hein maman ? Ah les banalités aident à supporter, tu le sauras un jour, Odono Celat. Et si l'argent lui manquait pour ces folies, elle se promenait dans un des supermarchés entre les hauts étalages chargés de ces produits de France qui étaient débarqués jour après jour. Le supermarché est la nouvelle Promenade, la Savane, la Jetée, l'Allée des Flamboyants. Mais Marie Celat se cachait derrière les rayons chaque fois qu'elle entrevoyait quelqu'un de connaissance, n'ayant pas la force de soutenir cette forme inédite d'urbanité. Pourquoi y vas-tu, s'inquiétait Donou Celat. Je veux savoir jusqu'où ça peut pousser. Ça peut pousser toujours, concluait-il. Et il repartait vers ses fonds marins. Ça, pensait Marie Celat, nous n'avons que ça, et la pêche sous-marine, le bureau, je me demande ce qui va nous tomber dessus. Elle parlait ainsi par généralité. Donou Celat cependant s'attardait de plus en plus sous la mer. Ses camarades remarquaient qu'il avait tendance à partir seul dans les fonds et lui en faisaient l'observation. Il semblait rattraper là ces années qui avaient tourné si vite. Jusqu'au dernier tournant où Patrice avait rencontré ce camion. Peut-être que dans le bleu de mer il multipliait le temps et le descendait à l'envers pour rejoindre son frère ou quelque connaissance inoubliée. Nous observions de loin, sans que quelqu'un ose dire ni penser : vraiment ce n'est pas possible il ne va rien arriver encore. Rien, sinon qu'un midi Donou Celat ne remonta pas. Ses amis le retrouvèrent flottant à deux mètres sous la surface. Il semblait n'avoir succombé à rien d'accidentel, il semblait rêver, il semblait flâner, il semblait les attendre, nous attendre tous pour nous montrer peut-être ce qu'il avait découvert, ou deviné là sur les fonds, que nous n'avions su repérer. Nous n'osions pas répandre la nouvelle, en parler, comme si de manière absurde nous avions peur de la porter jusqu'à Marie Celat. Nous n'osions pas raconter l'histoire. Encore aujourd'hui, après ces mois écoulés, c'est l'endroit de cette histoire où nous hésitons le plus. Au long du chemin qui menait à la maison, nous inventions combien de détours, cherchant le courage, le courage tout simplement de nous tenir là debout sans avoir à dire quoi que ce soit. Mais Marie Celat était déjà au fond de la mer. On conte qu'elle refusa de voir le corps de Donou, qu'elle balbutia quelque chose sur la surface des eaux, la surface des eaux profondes, et qu'elle tomba en léthargie. Il était plus facile d'avoir affaire à Ida Béluse. Ida Béluse était positive, elle vous faisait comprendre que c'était inutile de vous empêtrer dans des phrases. Un peu plus tard, quand nous évoquions ces deux garçons, morts on peut dire de ce qui faisait l'essentiel de notre commun loisir, et qu'à notre tour nous accumulions les banalités à propos de ceux qui hélas disparaissent sans avoir connu le monde et ses ravages, la terre et ses merveilles, les peuples et leur tourment, c'est pourtant vers Marie Celat, dont nous savions qu'elle existait là tout près, de l'existence absente de ceux qui se sont retirés, que nous portions ensuite notre discours, récapitulant ses malheurs sans pouvoir en suivre la trace jusqu'au bout, c'est-à-dire depuis ce commencement qui tout explique et obscurcit tout. Nous commençâmes d'avouer à son propos ce que nous avions toujours pressenti : qu'il y a des gens doués pour le malheur comme d'autres le sont pour faire pousser les plantes et les gros arbres. Marie Celat, nous le comprenions, s'était évertuée à banalité, à paraître dans le commun, à seule fin de se couper de cette ombre qu'elle avait vue planer sur Cinna Chimène et Pythagore. Quand elle restait ainsi prostrée, demandant à chacun : As-tu vu Odono ? – nous étions quelques-uns à deviner qu'elle ne cherchait pas là son dernier-né, mais le premier d'une lignée sans déroulement, venu tout adulte depuis combien de temps dans le pays, et dont la trace s'était perdue hormis pour quelques tourmentés, dont elle était. Il nous apparaissait que ce pays à son tour (les arbres dessouchés, les noms perdus, les voix altérées, les rythmes éteints) s'était en elle accroupi, ensommeillé de ce vide incernable qui lancinait partout, et qu'à la fin il lèverait en elle et la pousserait à nouveau. Et un jour elle cria que nous avions depuis toujours tué nos enfants, que les mères les étouffaient à la naissance, que les frères trafiquaient les frères. C'était plus que le voisinage n'en pouvait supporter. Les mêmes personnes qui avaient consenti à cela qu'on appelait son délire, tant qu'il avait été de malheur qui déborde, lui répondirent avec férocité dès lors que ce délire parut se faire accusateur. Elle nous insulte maintenant. Nous ne sommes pas responsables de ce qui lui arrive. Quand on ne sait pas surveiller des enfants, on n'en fait pas. D'ailleurs on ne comprend rien à ce qu'elle raconte. Expliquez-moi, madame monsieur ; de quoi s'agit-il ? Et quand Marie Celat demandait : Et toi, où es-tu à la fin ? – les gens se retournaient, riant, criant à la volée : Sur la route du Carénage, à l'entrée de la baie des Tourelles. Il y a toujours un Carénage dans nos pays. Par un obscur besoin nous établissions, ceux d'entre nous qui hésitaient au bord de ce malheur, mesure et correspondance de cette passion de Marie Celat aux incertitudes qui nous épuisaient jour après jour : prononçant chacun à part soi qu'avec la fin de son tourment cesserait aussi pour nous cet insupportable contentement qui, nous le savions déjà sans rien savoir encore, était le seul butin de notre consentement à nous laisser mener. Nous n'avons donc jamais désespéré de la voir se remettre, remonter de la nuit. Ces convictions étaient d'autant plus renforcées qu'elles nous autorisaient à l'abandonner dans sa trace. Il n'y avait rien à faire. Du moins le sentions-nous ainsi, rassurés de ne devoir pas l'accompagner dans ce débat et de deviner pourtant qu'elle en surgirait par nous ne savions quelle force renouvelée. Marie Celat resta seule prostrée devant sa porte, d'autant qu'Ida Béluse était partie tout de suite après la mort de Donou Celat. Les pressions avaient été trop fortes. Elle voulut persuader sa mère de quitter pour un moment tout ce tournis : Marie Celat retrouva plus que de la logique pour convaincre sa fille de ce qu'elles auraient raison toutes les deux, Ida de s'en aller, elle de rester. Ida s'en fut donc, et Marie Celat commença de hanter les routes autour de sa maison et d'interpeller les passants. Pythagore s'inquiétait, la suivait de loin sans se laisser voir. Nous nous rappelions les temps anciens, nous émerveillant tristement de la permutation opérée là sous nos yeux : la fille maintenant à l'aveugle, le père derrière comme un bon Samaritain. Jusqu'à l'époque où elle prononça cet anathème sur les mères qui étouffent leurs enfants, sur les frères qui marquent les frères comme des mulets d'Habitation. Qu'est-ce qu'elle raconte, mais vraiment qu'est-ce qu'elle raconte ? On se souvint alors des opinions de Marie Celat et qu'elle contestait l'ordre qui alentour s'établissait dans un si grand désordre. L'unanimité se fit contre elle, pour conclure qu'avec de telles idées la folie n'est pas loin. La frêle barrière dont quelques-uns avaient voulu la protéger ne résista pas. Les plaintes s'accumulèrent dans les bureaux. Chacun redoutait de se trouver dénudé, peu à peu dépouillé de la forcenée pelure sous laquelle nous renoncions nos vérités enfouies, leur préférant cette débonnaire quiétude au bord de laquelle nous étions tant forcés, malgré nous, de veiller. Marie Celat nous maintenait éveillés, elle rejetait la pelure. Non pas elle, mais son serrement. De la sentir si véhémentement atteinte de *cela* que nous supposions ne pas être la seule disparition de ses fils, de la voir ainsi déréglée, affolait les uns, emportait les autres de rage, secouait quelques extravagants d'un rire trop mécanique pour ne pas révéler leur angoisse. D'aucuns, oubliant tout à coup Patrice et Donou, criaient, i pa fou pa an foi, sanblan i ka fè sanblan : montrant en même temps qu'ils avaient senti là des motifs plus cachés qu'on n'eût cru et qu'ils refusaient de consentir à de tels dangereux mobiles. Ces discours enveloppèrent Marie Celat sans l'atteindre. Décision officielle fut prise de l'inscrire à l'hôpital ; elle laissa faire. L'ambulance vint la chercher, elle y monta sans un mot, sans regarder l'infirmier qui lui conseillait d'emmener avec elle ses affaires. Le chauffeur de l'ambulance fit un détour pour déposer des commissions chez lui ; ses enfants essayèrent de regarder par la petite vitre barrée d'un rideau de gaze. L'infirmier, quand ils repartirent, écarta le rideau. Même du fond du cocon blanc qu'était l'ambulance Marie Celat sentit, plus qu'elle ne le vit, l'endroit où la route plongeait (montant cependant) aux vertiges sans fond de la forêt et dans son humidité primordiale : dans cela qui s'est noué, a traversé notre corps avec l'épais tumulte d'une cavalerie. C'est la Trace du Temps d'Avant, dit-elle – si vite que l'infirmier la regarda, doutant qu'elle eût parlé. Des bois de bambous craquaient au long de la route. Dans l'un d'eux un homme s'était crucifié jusqu'à paraître bambou, indifférencié de l'écorce vert-brun à quoi il s'amarrait. Nous approchons, dit l'infirmier, pour expliquer ou peut-être excuser le fugitif spectacle. La voiture tournait dans une allée de ciment ; la tristesse des bâtiments aplatis au long de la crête imprégna jusqu'à la gaze des rideaux. Il fallut descendre, monter les marches, tenir les yeux ouverts. L'ambulance faisait des manœuvres accélérées pour repartir et Marie Celat était encore debout à l'entrée des bureaux, regardant paisible l'ombre des grands bois d'en haut manger la chaleur sèche de la ravine qui entourait les bâtisses (son convoyeur lui effleurait le bras, l'invitant à entrer), quand une voiture de police remonta la pente. C'est encore Chérubin, dit l'infirmier. L'homme descendu entre deux policiers semblait libre de ses mouvements, tout comme un habitué fait visiter les lieux à deux effarés. « La voix de famille, cria-t-il soudain, mon sang et ma famille (il avait démarré dans un seul balan, débloqué on eût dit par le coup d'œil qu'il avait eu vers Marie Celat, quand bien même il lui tourna le dos le temps de son discours), issu de ma tante germaine Marie-Désir la fille du gros Tergimas le vagabond, qui n'a jamais tenu plus de quatre lapins dans une calloge, et elle était apparentée par l'épaule gauche à Fidélie la concubine du plus fumeux que fameux Norbert celui qui dansait laggiah sur un seul gros orteil, et qui donc dit le petit cousin de vrai cousinage de la figure désolée Anathème Éfraïse qu'on a dû rassembler en poussière au jour de sa mort tellement la maigritude a ravagé son corps, et Marie-Désir tergimassait à point qu'elle a rencontré en maturité de carême le bienheureux Odibert et elle lui a donné une soupe grasse à désosser avec un pied-bœuf et la moelle à sucer, or quand c'est fini Odibert dit Marie-Désir vous êtes plus que désir et désirade mélangés ainsi est-il déménagé aménagé ou désiré en un rien de soupe avec vingt-trois gros os sans compter les petits et quel Odibert c'est, lequel de quel il y a tant d'Odibert c'est Odibert l'ascendant direct de la plus que parfaite à l'indicatif à qui Chérubin a dévoué sa vie depuis le jour de sa naissance d'amour et qui a isidoré en maître après trois fois vingt ans et voici voici voilà c'est la lumière brûlez vos yeux c'est la lumière qui frappe vous étourdit sur le chemin de la famille » – et à ce point de la tirade l'infirmier entraîna Marie Celat, les policiers appuyés contre la voiture continuaient d'apprécier le débit, et pour ainsi dire il la porta de bureau en bureau, énonçant rapidement à des secrétaires les noms et prénoms, âge, statut, antécédents et symptômes de l'entrante. Elle fut déposée dans une chambre où des malades jouaient au serbi, avec des graviers comme mises. Quelqu'un s'approcha, lui demanda des cigarettes. Plus tard elle se trouva devant un jeune médecin, frais arrivé de Paris, qui parlait en plissant les yeux. Marie Celat détaillait bien le mouvement des lèvres de ce docteur. Soudain elle lui tomba dessus en un discours sans fond où la vitesse et la rage découpaient les mots en blocs impénétrables d'un créole exacerbé. L'énergie qu'elle y employa se nourrissait d'elle-même. Une infirmière s'était figée derrière son bureau ; le jeune médecin penchait la tête de côté, il souriait. L'ombre des grands bois était arrêtée au milieu de la savane devant le bâtiment, elle délimitait avec rectitude deux mondes à jamais séparés. L'énergie de mots commença de tarir, la voix infatigable faiblit, le médecin était attentif. « D'accord, d'accord, dit-il doucement, je suis un

“ zoreille ” et je ne comprends pas le créole. Vous êtes contente comme ça ? » Ils se revirent les jours suivants, Marie Celat toujours barricadée. Son cas était longuement discuté, on commençait de la prendre en grippe, quand un matin ce même jeune, quelque peu extravagant à la vérité, cria dans tout l'hôpital : « Mais foutez-lui donc la paix, vous ne voyez pas que cette femme est exaspérée ? » Ce qui était une manière comme une autre de thérapeutique. Cet interne dansait la biguine, battait le tambour, bref se faisait autochtone. Plus tard il lui conseilla de s'en aller. « À votre place je me tirerais d'ici. Consultez donc Chérubin, c'est un spécialiste. » Elle sembla n'avoir pas entendu. Mais la nuit d'après, appelée par une force palpable, un coup de chaleur qui l'attrapait sous le bras et la tirait dehors, elle se leva de la couche qu'on lui avait attribuée, où elle faisait semblant de dormir (rusant avec les infirmiers pour ne pas aller se laver, refusant de faire venir ses affaires personnelles, récusant d'avance toute visite et tout soin), et sortit sans aucune sorte de précautions. La nuit titillait dans l'oreille et Marie Celat, retrouvant son enfance, l'écouta et s'en emplit avec intensité, s'étonnant de ne pas l'avoir entendue plus souvent ; bercée au criquettement infini des milliers de voix qui là dehors s'entrelaçaient. Dans le corridor, où les gens étaient couchés sur des lits pliants, elle rencontra Chérubin. Viens avec moi, dit-il. Ce fut aussi simple. Il passa derrière les cuisines, revint aussitôt avec un coutelas qu'il montra sans un mot à Marie Celat. Ils traversèrent la route et plongèrent dans les touffes : tout autant de la parole soudain sans failles de Chérubin que du lacis de feuilles et de souches qu'ils labouraient de leurs corps. Un désordre tout en charivari. Disant que : Non-nous-encore n'avons pas fini avec ces bêtes regardez (à peine noyés les deux dans la végétation, à moins d'un mètre dans l'absolu de nuit Marie Celat voyait éclater deux fentes jaune rosi à ras du pied) la bête-longue qui non-nous-encore fuit et poursuit tss tss elle a vagabondé parmi combien de mangoustes maintenant elle a cinéma sans payer pour regarder non-nous-encore déambuler tss tss il faut crier tss tss devant tes pieds pour écarter la profondeur de l'éternitude pour décombler ces créations de diablerie tss tss non-nous-encore passons le temps à courir devant les cornes la branche la nuit la gueule (ils dévalaient la nasse de bois dont on ne sait si elle monte si elle descend ou si elle s'enroule dans le corps et profite de ta distraction pour t'enfermer dans sa masse) et la diablerie te pousse à devinez quoi la cour de mairie où on te gare comme le camion diesel de la voirie tu ramasses l'immondice avec ton corps et tss tss reculez dans la ténèbre ombres du dieu tonnant non-nous-encore tombés dans l'immondice et la dommagerie voici que sommes rangés par rangs de deux devant les bureaux de l'assistance et les bureaux de la sécurité tss tss et les bureaux de la perception et qui commande feu tu le sais tu ne le sais pas non-nous-encore dévalons la mort fusillés à plein mitan portant dans la file devant les bureaux mais voilà non-nous-encore-mais-déjà tss tss c'est non-nous-encore-mais-déjà qui levons de la terre immondicée à l'entrée des bureaux est-ce que tu comprends la parole de Chérubin prends la parole de Chérubin pèse-la dans la main comme un bon pain cette parole-là est venue de loin de plus loin tss tss que le temps où Totime était une jeune Négresse de grand balan et Chérubin criait à la rosée du matin ha Totime vous êtes la fleur de mon espérance (ils suivaient une Trace de nuit dans la nuit et fixaient loin au bout le reflet du ciel tombant sur un morne comme un drap de dentelles, débouchaient sur un plateau en bordure d'aplombs qu'ils ne faisaient que deviner, longeaient des parcs où même dans le noir l'ombre des bœufs paraissait maigre, entendaient là en bas des cris de chiens errants, essuyaient l'eau et raclaient les feuilles collées sur leurs bras et leurs jambes – ils oubliaient la figure où les branches des bois avaient plaqué des masques brindillés qui s'effilochaient au vent de la crête) et mon espérance a mouru plus vite que tu vas de Deux-Choux au Grand Congo et inutile maintenant de tss-tsstsser la bête-longue est restée dans le bois cinéma est fini et allons donc tous les docteurs de l'âme n'ont pas connu Totime quand elle resplendissait comme le parchemin vierge et n'allez pas dire le contre-ut sinon Chérubin se fâche et non-nous-encore fait fusiller pan pan mais si de la parole de vérité tu es d'accord et tu dis oui alors Chérubin signe le papier gracié c'est non-nous-encore-mais-déjà qui levons du bureau pour embrasser la terre et connaître le tout-nouveau. Arrêtant le flot aussi net que s'il avait buté dans une muraille, mais continuant de dévaler en cinquième vitesse, Marie Celat remorquée par le yac dans la cohée du bois. Une odeur de lys sauvages les accompagnait, s'évaporant avec douceur dans l'air maintenant chaud de la nuit et les portant plus loin. L'épaisseur alentour avait fondu et disparu en même temps que la parole de Chérubin ; il en restait une légèreté ponctuée des sillages des bêtes-à-feu et des étoiles filantes. Ils débouchèrent, Marie Celat et Chérubin, sur le terre-plein où montait le pied de tamarin, devant la case. La table était là dehors, désossée de presque toutes ses planches mais incompréhensiblement debout. La lune surgit d'un amas de nuages, le bois délavé par les pluies brilla comme une chair à vif. Où étais-tu, maman la lune ? Dans quelle misère te cachais-tu ? Dans quel bonheur ? Les deux errants éclairés de cette lumière du ciel entrèrent dans la case. La chaleur était à crier, d'un seul coup la sueur les inonda. Le plancher décloué levait par endroits. Une branche de palme pendait au mur du fond, accrochée à un rivet. On voyait la dentelle que son ombre faisait au loin. Marie Celat s'assit dans un coin, Chérubin à l'opposé, farouche, la bouche serrée, le coutelas sur les genoux, comme s'il se préparait à bondir sur sa compagne et à la déchiqueter point par point. Le temps alors descendit et les porta. Ils explorèrent le grand silence, rejoignirent l'autre côté de leur esprit. La lune passait et repassait plus doux qu'un phare qui danse la valse. Marie Celat buvait sa sueur, presque sans bouger les lèvres. Le temps les ramollit comme un suif de bougie une terre rouge un manioc bien trempé. La tôle du toit craquait, à mesure que le serein du matin répandait partout sa fraîcheur. Chérubin chuchota enfin : Écoute, vous avez perdu vos enfants et la bête tourne dans ta tête. Chérubin sait. Écoute, il faut monter le temps comme un vaillant cavalier si tu ne veux pas que le temps te monte comme un zébu. Chérubin te dit. Un énième nuage passa devant la lune, si vite que ce fut plus vif qu'une explosion. Marie Celat remonta dans la voix de Chérubin, vers tout ce qu'elle n'avait pas connu mais qui résonnait pour elle plus clair que la parole du premier jour. Vers Eudoxie peut-être dont la vie obscure illuminait encore, vers Anatolie s'il se trouve dont les débats et l'agitation de malheur l'eussent fait pleurer, vers Liberté ho Liberté qui avait été fille et oncle en même temps, et vers Euloge oui, Euloge et la femme sans nom, qui avaient accroché au mur cette palme bénite le jour où la femme, interrompant sa parole sans fin, avait dit à Euloge que la fille était sa fille, non pas celle de l'autre. Et ils s'étaient, vieillards tragiques et bienheureux, couchés côte à côte dans le grand lit qu'Euloge avait jadis commandé, qui était le seul mobilier de la case, où on les avait retrouvés au lendemain matin, leurs cheveux blancs bien brossés, leurs pieds nus frottés et lavés pour ce voyage. Marie Celat chantait dans sa tête, le chant peu à peu envahissait de sa douceur la case du commandeur. *Tifille tifille vini éti éti ou cé lanoncement.* Commençant machinale de pédaler cette roue et de piquer l'aiguille que manzè Colombo s'était jadis obstinée à faire marcher dans tout cet ennui de misère. Dehors la musique éclairait le tamarin et donnait de l'ardeur à tout ce qui alentour avait paru si morne et plat. Comme si elle s'était organisée pour envelopper la fille d'Euloge et dérober non seulement l'endroit où elle était couchée pour toujours mais encore les circonstances de son départ, le moment tranquille et discret où elle avait une fois pour toutes arrêté la machine. La musique venue de si loin (non pas seulement dans le temps mais aussi dans le linge d'espace, cousu de tant de pays, qui s'ajustait là sur nos corps avec des replis si compliqués) qu'il était impossible de l'entendre, sauf quand on arrêtait le corps et que repartant on traversait la Trace primordiale guettée des bêtes innommables. Alors on devinait ce qui sous l'égale commune démission grandissait là. Marie Celat devinait à cette heure. La nuit est dure, dit-elle, la nuit c'est une roche. Patrice Celat est dans la roche, et Odono Celat qui ne demandait rien à personne. Ils remontent la Trace du Temps d'Avant. C'est pour nous éclairer, disait Chérubin. J'étais dans le conte, je rêvais que je rêvais. Je comprends ça, disait Chérubin. Non non, il n'y a pas de fin, ne dites pas que vous comprenez, dites que vous avez crié tout au long de la Trace. J'ai crié, disait Chérubin. Nous avons entendu ce Bruit de l'Ailleurs, feuilleté toi et moi l'Inventaire le Reliquaire. Nous avons couru ce Chemin des Engagés, dévalé le Registre des Tourments ho il reste à épeler le Traité du Déparler. Qu'est-ce que le Traité, demandait Chérubin. C'est le mot mis dans la terre que vous retournez. Avec un madjoumbé, demandait Chérubin. Avec un doigt crochu dans chaque de tes mains. Tu n'es pas tombée folle, disait Chérubin. Non, je crie après la Table des Îles, qui est le dernier morceau en cadence du livre. Ah, parce qu'il y a aussi une table, et même un livre, demandait Chérubin. La Table de toutes les Îles que vous ne voyez pas plantées dans la mer alentour et qui protègent votre tête. Vraiment vous n'êtes pas montée à la fraîcheur de folie, disait Chérubin. Marie Celat rit doucement dans l'épais de la case, sentant grandir, comme une explosion dans son corps, la lumière qui pointait là-bas au fond de la nuit. Sa tête et sa pensée s'élargirent au long des branches, elle s'éveilla sans même s'être rendu compte qu'elle avait dormi. Un coq cocoriquait. Longoué avait raison me disant, il y a si longtemps, que ce ne serait pas sous un pied de quénettes. C'était le tamarin. Chérubin accroupi derrière la porte surveillait quelque chose. Marie Celat entendit le bruit de la jeep avant de la suivre en pensée au long de la trace qui menait à la case. L'engin s'arrêta sous le gros arbre, deux gendarmes en descendirent. Ils cherchaient au loin, s'aventuraient à l'écart de la jeep, tournaient le coin de la maison. Chérubin prit le coutelas et tranquille alla s'asseoir dans la voiture. Marie Celat patientait. Les gendarmes parurent soudain, butant à moins d'un mètre de Chérubin qui les regardait comme s'ils n'avaient pas été là, ses mains posées au travers du coutelas. Ils firent un geste, vite suspendu, vers leurs armes. Chérubin n'avait pas même tressailli. Marie Celat sentait ce silence s'engouffrer dans la case par l'entrebâillement de la porte. Les gendarmes reculèrent, disparurent à l'angle d'un remblai. Sans doute allaient-ils chercher du renfort. Marie Celat courut, s'installa derrière le volant. Je sais les conduire, dit-elle. Déjà la voiture cahotait sur la trace où pas un gendarme n'était en vue. Ils tirèrent droit sur l'hôpital, c'est-à-dire, à travers tant de chemins découpés que Chérubin s'y perdit. C'est le Traité du Déparler, dit-il. Marie Celat conduisait sans un brin d'hésitation. Dans la cour de l'hôpital, Chérubin se dirigea comme si de rien n'était vers les cuisines. Il avait déclaré à sa compagne : vous êtes une femme adoressante. La jeep fut abandonnée là ; aucune agitation particulière. Marie Celat, remontant l'allée de ciment vers les bureaux, décomposait la parole de Chérubin en dorée, adorée, adolescente, caressante. Elle se retrouva devant ce jeune docteur. – Vous en faites de belles, voler une jeep de gendarmes. – Personne n'est au courant mis à part Chérubin vous et moi. – Et la gendarmerie, c'est forcé. – Vous plaiderez que c'était une bouffée de je ne sais quoi. – Vous me demandez de mentir pour vous ? – Et alors ? C'est votre métier de mentir. – Ah bon. Qu'allons-nous faire maintenant ? – C'est à vous de décider. Pour moi la question est réglée. Je vous invite à dîner. – Si nous dînons ensemble, je n'aurai plus rien à voir avec vous sur le plan hospitalier. – Ne jouez pas les dragueurs pédants, vous êtes un jeunot, je suis presque une vieille femme, même si je suis adoressante. Je n'ai rien à voir avec vous sur aucun plan que ce soit. Je vous invite à dîner un point c'est tout, et pas plus tard que ce soir. – Vous fréquentez les Blancs, maintenant ? – Ne faites pas de cirque, et donnez-moi ce billet de sortie. Ce qu'il fit, contre tous usages. Marie Celat réapprit à vivre parmi les choses de chaque jour. Elle écrivit à Mathieu, enfin repéré ; il lui répondit qu'il rentrerait bientôt. Elle fit venir Cinna Chimène et Pythagore, qui se rencontrèrent chez elle pour la première fois depuis combien d'années. Ces personnes de l'ancien temps sont d'une trempe inimaginable. Ils arrivaient aux mêmes heures, s'activaient dans la maison comme un ménage sans problèmes, repartaient chacun de son côté. Pa ti ni pa an problem. No hay problema. No problem. Cinna Chimène était pleine d'une lumière qu'elle avait amassée au temps jadis. Elle voyait avec netteté le contour des choses, les prétextes des gens. Il n'y avait plus de pipe de terre à tirer, ni de tabac digne de ce nom. Cinna Chimène était une Regardante, qui se tait et laisse venir. Pythagore apaisé comptait doucement les jours. Marie Celat fut engagée dans un bureau, supporta ce que tout le monde supporte. Les nouvelles d'ailleurs n'étaient bonnes nulle part : ni du côté de l'Orient, ni pour les peuples africains, ni en Amérique du Sud, ni pour les Noirs américains, ni pour les Indiens Quechuas. Ni alentour dans les pays de la Caraïbe. Au fond c'est maintenant que je suis tombée hébétée. Je pose zéro et je retiens tout. Trois verbes que nous vénérons : avoir savoir pouvoir. Le verbe vivre n'est plus conjugué, il a conjugué le verbe bomber. Mais si tu n'aimes pas le pays où tu vis, personne ne l'aimera pour toi. Sinon sur des dépliants, faisant des mines émerveillées, comme on aime un soleil couchant. « Moi j'arrive de Djibouti, c'est épatant ici, on m'a dit qu'une minorité s'agite, vraiment je n'ai rien remarqué. » Si tu ne souffres pas d'aimer la terre où tu poses les pieds, personne ne souffrira à ta place. La maison dans le lotissement était aussi incolore qu'avant. Marie Celat eût souhaité recevoir chaque jour les amis de ses fils, mais l'organisation de la vie ne permettait plus ces folies d'accueil, comme tribales, qu'avait pratiquées man Totime. Des jeunes à moto commençaient de cambrioler les villas. La toute nouvelle installée « Agence nationale pour l'emploi » ne trouvait pas son rythme. Marie Celat restait debout vide, désinformée de tout, devant son gazon. Patrice, Odono Celat. Les voisines lui adressaient des sourires précautionneux, attentives à surveiller ce qui en elle eût pu être à nouveau déglingué. Pythagore venait tous les jours, depuis qu'il avait obtenu qu'elle achète à crédit un poste de télévision en couleurs. Il s'asseyait au début de l'émission à quatre heures de l'après-midi, se levait à dix heures du soir quand c'était fini. Marie Celat, un jour qu'il écoutait ainsi un technicien, ou un élu du peuple, ou peut-être un ministre en tournée, détailler à grandes massues de chiffres un éternel « plan de relance de la canne à sucre » ou quelque autre gadget de la persuasion à outrance, cria que Pythagore voyons qu'est-ce que vous pouvez comprendre à ce charabia, que vraiment ce n'est pas la peine de faire croire que vous vous intéressez à quoi que ce soit d'aussi invraisemblable, et, se penchant de tout le buste vers elle, sans quitter l'écran des yeux, il énonça qu'il avait sa manière de comprendre et que par exemple, à la *couleur* des paroles, il voyait que cet homme était là en train de mentir : Asou *koulè* parol-a man ka oué nonm-ta-a ka manti. Marie Celat rit en chuchotis, sans bruit, comme jadis ses ascendants affalés dans la nuit des cases ; elle s'éloigna tranquille. On commençait dans le pays à parler vraiment des partisans de l'indépendance. Tout de l'ouvrage restait à faire. Ida Béluse revenue, et à qui sa mère avait tant manqué, tâchait d'apaiser ce bouillonnement qui s'était levé en elles. Proposant à Marie Celat qu'était venu le temps de laisser vivre, si on pouvait. Leurs conversations étaient soutenues de respirations coupées, d'éclats raides ; comme si, par une telle monotonie haletante de mots, qui semble une mélopée en plein soleil, nous ne cessions d'aller au bout de l'essoufflement. Nous, qui avec tant d'impatience rassemblons ces moi disjoints ; dans les retournements turbulents où cahoter à grands bras, piochant aussi le temps qui tombe et monte sans répit ; acharnés à contenir la part inquiète de chaque corps dans cette obscurité difficile de nous.

(*Du* Quotidien des Antilles,
en date du 13 septembre 1978.)

« ... l'organisation de l'institution psychiatrique dans notre Département, ainsi que nous l'avions annoncé à nos lecteurs dans notre parution en date du 4 septembre dernier.

Il est certain, en conclusion de l'enquête, que tout n'est pas parfait en la matière. Mais les éléments, disons-le, franchement encourageants, ne manquent pas. Nous les résumons ici.

Les problèmes qui se posent sont ni plus ni moins ceux qu'on rencontre en Métropole. La maladie mentale (nos lecteurs savent que les spécialistes répugnent désormais à parler de folie) frappe partout, de la même façon.

Les équipements sont certes encore insuffisants, mais les experts chargés de l'étude de la question ont déjà déposé leur rapport devant la Commission ad hoc du Conseil général, et on peut supposer, sans optimisme exagéré, que les impératifs de ce rapport seront retenus et réalisés.

Un plan a été établi pour développer la médecine de secteur, plan dont nous avons exposé les grandes lignes. C'est là une nouvelle organisation du service des soins, déjà mise en pratique en Métropole, avec des résultats très encourageants. Le but visé est de mieux permettre l'insertion des malades dans la vie réelle, en même temps sans doute que de désencombrer l'hôpital et par conséquent d'humaniser le service.

La compétence du personnel est satisfaisante. De nombreux

séminaires d'études, organisés autour des spécialistes et des professeurs en provenance de l'Hexagone, permettent une formation continue.

L'amélioration des locaux est entreprise, et nous avons détaillé les crédits débloqués à cet effet, tant au ministère des DOM qu'à celui de la Santé publique. Les décrets d'application sont en cours de signature et devraient intervenir incessamment.

M. le Chargé de mission nous a formellement déclaré : “ Soyez persuadés que tout sera fait dans le sens de l'amélioration radicale. Nos malades mentaux ont droit, tout comme les autres catégories de la population, à la réalité de la solidarité nationale. ”

Nous ne suivrons donc pas les éternels dénigreurs, les esprits chagrins qui critiquent à tout bout de champ sans jamais affronter les problèmes réels.

Ajoutons – et ce sera la meilleure des conclusions – que notre hôpital psychiatrique nous est envié dans toute la Caraïbe et que certains des gouvernements indépendants du voisinage ont entrepris des démarches auprès de nos services, ainsi qu'au ministère à Paris, en vue d'obtenir ici l'hospitalisation de grands psychotiques qu'ils ne peuvent faire soigner chez eux, étant donné les moyens dont ils disposent. »

Appendice

1. Sur quelques vocables qui nous sont très particuliers

LES MOTS

Bagage : paquet servant à l'envoûtement, dit paquet-chargé.
Béni-commerce : mariage qui « régularise » une union de fait.
Bonda : fesses. Toujours avec une volonté de provocation.
Bouarengue : stérile.
Conjuguer le verbe bomber : prendre du fer, c'est-à-dire échouer, être malheureux, souffrir peut-être.
Golbo : campagnard mal dégrossi, selon les citadins.
Gommier : canot à voile (du nom de l'arbre dans lequel on le taillait).
Makandjia : variété de bananes, une des meilleures. Aujourd'hui rare.
Malfini : grand oiseau des bords de mer. Disparaît.
Mantou : crabe à poils. A disparu.
Mi Celat : voici Celat.
Palaviré : double gifle.
Quatre-chemins : carrefour de deux routes principales.
Tèbè : doucement débile.
Yac : jadis, gabarre à moteur pour le transport des marchandises et des passagers.
Yiche-labolision : enfant de l'Abolition.

LA LANGUE

Anatoli ki fè moin sa : Littéralement, « c'est Anatolie qui m'a fait ça ».
Aprézan i mô man pé mô san rigré : Maintenant qu'il est mort je peux mourir sans regrets.
Di nou la-ou sôti ? An ki tchou bourik, an ki zorey milé : Dis-nous d'où tu viens ? De quel cul de bourrique, de quelle oreille de mulet ?
I pa fou pa an foi, sanblan i ka fé sanblan : Il n'est pas du tout fou, il ne fait que simuler.
I té la, sé nou ki pa téka ouè : Elle était là, c'est nous qui ne voyions pas.

Ki sa sa yé sa ? : Qu'est-ce que c'est que ça ?

La désandante sé an gason, i ron kon an koui kako : La descendante est un garçon, il est rond comme un coui de cacao.

Loto épi moto pa bon zanmi : Voitures et motos ne font pas bon ménage.

Manjé tè pa fè yich pou lesclavaj : Mangez de la terre, ne faites pas d'enfants pour l'esclavage.

Mon pè, man pa sav sa ki rivé, ni an péshé man pas confésé, i la an goje moin, bondié-a pa lé désann : Mon père, je ne sais pas ce qui arrive, il y a un péché que je n'ai pas confessé, il est là dans ma gorge, le bon Dieu ne veut pas descendre.

Ni tamanan dji konon, etc. : Traces d'une des langues du pays africain, probablement déformées, dont il ne vaut pas d'éclaircir le sens.

Pa minyin-ye, jandam kaï maré-ou : Ne le touche pas, les gendarmes vont t'arrêter.

2. Essai de classification des relations entre les familles Béluse, Targin, Longoué, Celat

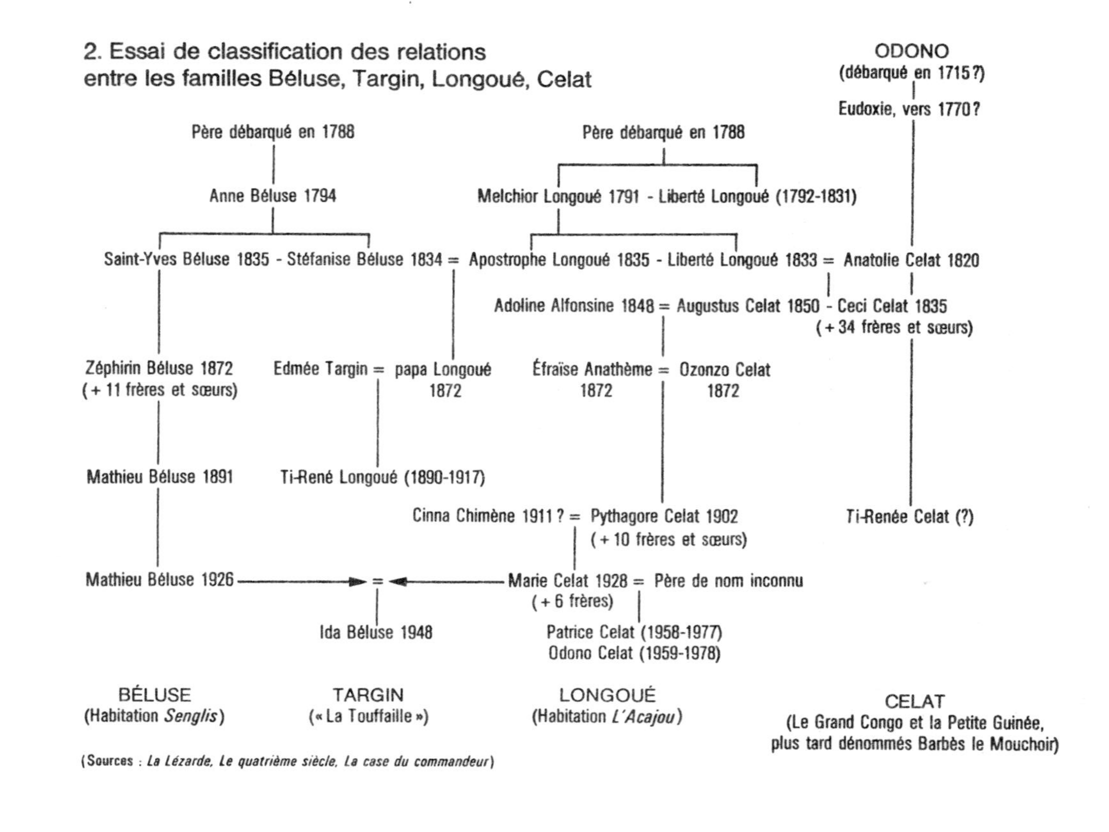

(Sources : *La Lézarde, Le quatrième siècle, La case du commandeur*)

Table

Extrait du Quotidien des Antilles,
en date du 4 septembre 1978 11

La tête en feu

Trace du temps d'avant 17
Chemin des engagés 48
Contes de la foi qui sauve 73
Reliquaire des amoureux 94

Mitan du temps

Mémoires des brûlis 117
Bestiaire de jour et minuit 124
Registre des tourments 131
Actes de guerre 138

Le premier des animaux

Procession des dédoublés 145
Inventaire des outils 159

Bruit de l'ailleurs 172
Roche de l'opacité 185

Extrait du Quotidien des Antilles, *en date du 13 septembre 1978* 203

APPENDICE

1. *Sur quelques vocables qui nous sont très particuliers* 209
2. *Essai de classification des relations entre les familles* 211

Œuvres d'Édouard Glissant (suite)

MÉMOIRES DES ESCLAVAGES. *Avant-propos de Dominique de Villepin* (Gallimard/Documentation française).

UNE NOUVELLE RÉGION DU MONDE. Esthétique I.

LES ENTRETIENS DE BATON ROUGE, avec Alexandre Leupin.

PHILOSOPHIE DE LA RELATION. Poésie en étendue.

L'IMAGINAIRE DES LANGUES, entretiens avec Lise Gauvin (1991-2009).

Théâtre

MONSIEUR TOUSSAINT, version scénique.

LE MONDE INCRÉÉ, poétrie. Conte de ce qui fut la tragédie d'Askia — Parabole d'un moulin de Martinique — La Folie Celat.

Aux Éditions du Dragon

UN CHAMP D'ÎLES. *Illustrations de Wolfgang Paalen.*

LA TERRE INQUIÈTE. *Illustrations de Wifredo Lam.*

BOISES. *Illustrations d'Augustin Cardenas.*

Aux Éditions Falaize

LES INDES. *Illustrations d'Enrique Zañartu.*

SOLEIL DE LA CONSCIENCE. *Édition originale.*

Aux Éditions Présence africaine

LE SANG RIVÉ. *Édition originale.*

Aux Éditions du Gref

DISCOURS DE GLENDON.

FASTES. *Édition originale.*

LES INDES/*THE INDIES*. *Édition bilingue, texte anglais (Canada) de Dominique O'Neill. Illustrations de José Gamarra.*

Aux Éditions du Seuil

LE SEL NOIR. *Illustrations de Matta.*

MONSIEUR TOUSSAINT. *Première version.*

UN CHAMP D'ÎLES — LA TERRE INQUIÈTE — LES INDES («Points Seuil).

LA LÉZARDE («Points Seuil).

LE DISCOURS ANTILLAIS (repris dans «Folio essais/Gallimard», *nº 13*).

LA TERRE MAGNÉTIQUE, les errances de Rapa Nui, l'île de Pâques (en collaboration avec Sylvie Sémavoine).

Aux Éditions Stock

FAULKNER, MISSISSIPPI. *Illustration de Sylvie Sémavoine* (repris dans «Folio essais/Gallimard», *nº 326*).

Aux Éditions Le Serpent à Plumes

LES INDES/*LEZENN*. *Édition bilingue, texte créole (Martinique) de Rodolf Étienne.*

Aux Éditions Galaad/Institut du Tout-monde

En collaboration avec Patrick Chamoiseau:

QUAND LES MURS TOMBENT. L'identité nationale hors-la-loi?

L'INTRAITABLE BEAUTÉ DU MONDE. Adresse à Barack Obama.

LA TERRE, LE FEU, L'EAU ET LES VENTS, UNE ANTHOLOGIE POÉTIQUE DU TOUT-MONDE.

10 MAI : MÉMOIRES DE LA TRAITE NÉGRIÈRE, DE L'ESCLAVAGE ET DE LEURS ABOLITIONS.